KB090035

아프다 너무 아프다

상처와 치유의 심리학

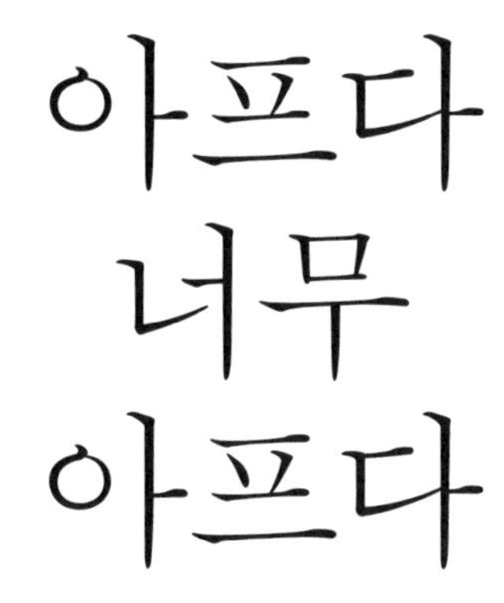

이후경 지음

한스컨텐츠

머리말

내면의 아픔을 들여다보기

우리 모두에게는 내면의 아픔이 있다. 상담을 하다 보면 더없이 밝고 구김살 없어 보이는 사람에게서 깊은 생채기를 발견하곤 한다. 긴 세월 동안 그의 영혼이 상처를 안고 흐느껴왔을지도 모른다는 데 생각이 미치면 인간 존재에 대한 연민이 느껴지곤 한다. 그렇다. 우리는 아프다. 마음속 깊은 곳에 묵직한 상처 하나씩은 안고 살아간다. 그것을 의식하든 그렇지 않든 마찬가지다.

때로 이 상처는 우리의 생활 방식이나 선택의 기로에서 큰 영향을 끼치곤 한다. 우리는 논리적으로 설명하기 어렵고, 성격 때문이라고 규정하기도 애매한 그런 행동과 결정을 할 때가 있다. 그런데 그 배후를 자세히 들여다보면 깊은 상처가 똬리를 틀고 있을 때가 많다.

어떤 사람은 버림받거나 거절 당할까 봐 초조해하고, 어떤 이는 자신이 결국 실패할 것이라는 두려움에 휩싸인다. 분노를 좀처럼 절제하지 못하는 이도 있고 주변 사람의 인정을 갈구하는 사람도 있다. 일이 잘못될까 봐 늘 걱정과 부정적 감정에 휩싸여 사는 사람도 있다.

이런 어두운 마음은 주로 성장 과정이나 가족, 친구, 주변 사람과의 관계에서 발생한 갈등, 과거의 상처 등에서 비롯된다. 심리학자 제프리 영은 20여 년간 개인의 성격과 행동 패턴에 대한 임상 연구를 바탕으로 이를 삶의 5가지 덫으로 정리했고, 다시 18가지로 세분화했다. '삶의 덫'은 상처의 결과인 동시에 상처 그 자체이기에 우리 내면의 아픔을 들여다보는 데 매우 효과적이다. 이 책을 통해 내가 어떤 상처를 안고 있는지 살펴볼 수 있으면 좋겠다.

굳이 자신의 약한 곳, 아픈 곳을 직시하는 이유는 치유하기 위해서이다. 현대인들은 수많은 정신적·심리적 문제를 안고 살지만 그것을 다스리는 데 역부족이다. 고통을 호소하면서도 근본적인 치유를 시도하지 못한다. 만성 피로와 수면 장애, 중독, 노화, 무기력 등에 시달리면서 증상에만 관심을 둘 뿐 그 뿌리를 파고들지 않는다. 조급한 마음에 약물의존이나 자극의 탐닉에 빠지는 사람들도 있다. 안타깝다.

근본적인 치유의 세계로 들어가야 한다. 마음 깊은 곳으로 들어가 내면의 아픔을 직시하고 그것을 다스리고자 하는 자세는 그 자체로 치유의 출발이라 할 수 있다. 그리고 효과가 검증된 다양한 방법들 중 내게 맞는 것을 찾아 마음의 치유를 진전시킬 수 있다.

이 책을 통해 상처의 시대, 상처 받은 사람들이 내면적 상처의 정체를 들여다보고 그 영향을 파악하며 치유의 길을 찾는 데 도움을 받기를 간절히 바란다.

차례

II 상처가 불러온 것들

III 치유의 심리학

I
상처 들여다보기

삶을 옭아매는 것들: 마음의 18가지 덫

고대 그리스에 미다스왕이 있었다.

어느 날 미다스왕은 나이가 들면서 원하는 대로 되는 것이 없다는 것을 깨달았다. 삶을 살아가면서 맞닥뜨리게 되는 문제를 푸는 데는 '악마'가 가장 적격이라고 생각했다. 미다스왕은 신하들에게 악마를 스승으로 모셔야 하니 붙잡아 오라고 명령했다.

얼마 후, 신하들은 악마를 포승줄로 묶어 왕 앞에 데려다 놓았다. 왕은 악마에게 물었다.

"삶을 살아가는 데 최선은 무엇인가?"

"이 세상에 태어나는 순간부터 죽음을 향해가는 인간의 삶에 최선이란 없습니다."

"그렇다면 이미 태어난 우리에게 최선은 무엇인가?"

"일찍 죽는 것이 최선입니다."

인간의 삶은 마치 죽기 위한 삶 같다. 그렇다고 악마의 말처럼 태어나지 않거나 일찍 죽는 것이 최선이라는 말에 선뜻 동의하기는 어렵다. 누군가는 이런 말을 했다.

"세상에는 두 종류의 사람이 있다. 하나는 성공하고 실패하는 사람이고, 다른 하나는 실패하고 성공하는 사람이다."

어느 쪽이 되었든 인간은 태어난 이상 성공하기 위해 노력하고, 그 노력을 통해 삶의 의미를 되새긴다.

의미치료의 창시자인 빅터 프랭클은 "삶에 있어서 최선은 의미를 창조하는 것"이라고 했다. 성공은 원하는 것을 가지는 것이고 행복은 원하는 것을 하는 것이다. 우리는 원하는 삶을 살기 위해 노력한다. 그런데 그 과정에서 수많은 문제에 부딪히게 된다. 원하는 삶을 위해 문제를 해결해나가며 한평생을 보낸다. 모든 사람이 아무 문제 없이 자신이 생각한 대로 삶을 살아간다면, 성공이나 행복에 대한 물음은 생기지 않았을지도 모른다. 인간의 삶은 뜻하는 대로 나아가지 못한다. 그렇기에 끊임없이 삶의 문제를 풀어가기 위해 애쓰는 것이다. 살면서 부딪히는 문제를 풀어가기 위해 살아가는 것, 그것이 인간의 삶일지도 모른다.

그런데 계속 일이 꼬이기만 하면 "나는 대체 왜 이럴까?"라는 의문과 맞닥뜨릴 수밖에 없다. 일이 계속 꼬이는 원인은 정신적인 것에서 찾아야 할지도 모른다. 정신분석과 인지치료의 대가인 제프리 영은 한 사람의 운명을 결정하는 무의식적인 정신 현상에 주목하고, 이를 '삶의 덫(Life Trap)'이라고 했다. 삶의 덫은 어린 시절의 부정적인 감정 양식이 일생에 걸쳐 영향을 끼치는 부정적인 자기 개념이다. 잠재 능력을 발휘하는 데 걸림돌이 되는 제한 신념이며, 태도와 행동을 규정짓는 내재된 정신 역동이다. 삶의 덫은 매번 같은 실수를 반복하도록 하는 일종의 수학 공식 같은 도식(스키마)이다. 크게 5가지 영역 18가지로 정리할 수 있다.

나를 옭아매는 '삶의 덫'

'삶의 덫'에 대한 개념을 최초로 소개한 사람은 정신분석의 창시자인 지그문트 프로이트다. 프로이트는 '반복적 강박'이란 용어를 사용했다. 한 번 크게 당하고도 같은 실수를 되풀이하는 것으로, 괴롭고 고통스러운 과거 상황이 반복된다는 것이다. 보통 반복적 강박에는 해결되지 않은 유아기적 갈등이나 상처가 존재한다. 어린 시절에 습득한 부정적인 감정 양식을 나이가 들어서도 자신도 모르게 반복하는 것이다. 반복적 강박은 한 사람의 운명을 좌우하는 무의식적인 정신 현상이다.

폭력적인 아버지 밑에서 자란 딸이 매번 폭력적인 남자를 사귀는 경우가 바로 이런 사례다. 남자 친구의 폭력을 통해 스스로 아버지에 대한 적개심을 처벌하는 것이다. 이때 스트레스를 일으킨 사건을 개인의 성격이나 행동과는 상관없이 운명의 탓으로 돌리려는 경향이 강하게 나타난다.

삶의 덫은 자신과 자신을 둘러싼 세상에 대한 핵심 신념을 형성하는 부정적인 감정, 생각, 기억이 복잡하게 조합된 자기 개념이다. 이 신념은 보통 왜곡되어 있다. 덫이 강하면 강할수록 우리의 생각은 더 많이 왜곡된다. 보통 삶의 덫은 어린 시절에 형성되어 타고난 본성과 결합해 우리의 태도와 행동을 규정짓는 내재된 정신 역동으로 작용한다. 핵심 필요가 충족되지 않는다면 일생에 걸쳐 영향을 미치며 위험한 상황으로 내몰릴 수도 있다.

아마도 우리는 어릴 적부터 자신을 돌봐주는 사람에게 관심과 사랑을 받기 위해서 혹은 체벌이나 수치심을 모면하기 위해서 노력했을 것이다. 아니면 성 경험을 이른 시기에 했거나 아주 높은 기준에 도달해야 했을 수도 있다. 우리가 가족이나 친구에게 학대받고, 버려지고, 수치를 당하고, 사랑받지 못했다면 그에 상응하는 덫이 우리에게 형성되었을 것이다. 아이는 자신을 혼내는 부모에 대해 "아, 부모님은 어려운 유년기를 보내서 저렇게 말씀하시는 거야. 분명 진심이 아니야"라고 생각하지 않는다. 아이는 부모가 무심코 던진 폭언이나 침묵을 개인적인 것으로 받아들인다. 결국, 부모가 던지는 메시지를 내면화하여 자신과 타인의 관계 설정에 적용하는 것이다.

"내가 사랑하는 사람들은 결국 나를 떠날 거야."

"만약 사람들이 진짜 내 본모습을 알면 나를 가치 없는 사람이라고 생각할 거야."

"사람들은 믿을 수 없어."

"나는 사람들과 가까워질 수 없어."

"나는 벌을 받아야 마땅해."

부모의 폭력은 아이를 부정적인 생각 속에 가둬버린다. 안타깝게도 아이가 자라서 성인이 되어도 부정적인 생각은 없어지지 않는다. 어떤 사람에게는 부정적인 생각이 아주 강하게 작용하여 행동과 결정을 하는 데 큰 영향을 끼치기도 한다. 부정적인 생각은 아이가 잠재 능력을 발휘하는 데 걸림돌이 되기도 한다. 이처럼 삶의 덫은 왜곡과 오해, 미움과 반목, 시기와 질투, 싸움과 고립 등을 유발하는 강력한 힘을 가지고 있다.

덫은 왜 이렇게 강력할까? 우리는 보통 익숙한 것에 끌린다. 익숙하고 오래된 자신과 있을 때 불확실성은 사라지고 예측 가능한 것에서 오는 안정감을 느낀다. 덫은 어린 시절부터 늘 자신의 삶과 함께 있어서 그런지 자연스럽고 익숙하다. 덫이 비록 파괴적일지라도, 익숙한 것으로 이끄는 힘은 강력하다.

이런 점에서 볼 때 부모로부터 역기능이 대물림되는 것이다. 슬프게도 역기능은 계속 반복된다. 아이는 유년기 동안 덫에 반응하는 방법을 개발하고, 이때 형성된 대응 방식은 성인기까지 이어진다. 그래도 성인이 되면 건강하지 못한 행동을 알아차릴 수 있다. 이를 자각하는 순간 우리는 변화할 수 있는 '희망'을 볼 수 있다.

사람들은 자신이 가지고 있는 삶의 덫에 각기 다른 방식으로 대처한다. 대부분은 항복, 회피, 반격을 복합적으로 사용하며 삶의 덫에 대응한다.

'항복'을 대응 방식으로 택한 사람은 누군가 나를 조롱하고 무시해도 괜찮다고 여기는 경우가 흔하다. '모든 것이 네가 저지른 잘못'이라는 사람들의 질책에도 '그렇다'고 순순히 인정한다. 즉 덫이 말하는 것을 모두 진실이라 믿는 것이다. 이런 사람은 무기력에 빠지고 만다.

'회의'를 대응 방식으로 택한 사람은 어떤가. 억울한 상황에서도 사람들과 갈등을 일으키는 것이 싫어 싸우는 것을 포기한다. 보통 사람은 자신에게 취약하거나 민감한 영역을 피하려고 한다. 따라서 덫에 대처하는 방법 가운데 하나로 도피를 사용하는 것은 지극히 자연스러운 일이다. 덫이 자극받았을 때 수치감, 무기력, 분노, 불안, 죄의식 같은 부정적인 감정이 야기되기 때문이다.

'회피'는 진실을 직면하지 못하게 하고 결코 덫에서 벗어날 수 없게 만드는 힘을 가지고 있다.

대응 방식으로 '반격'을 택한 사람은 덫의 거짓을 증명하기 위해 가능한 덫과 자주 싸운다. 이들은 자신이 공격받는다고 느끼므로 화를 내고 부정적인 분위기를 풍기는 근원을 공격하려고 한다. 따라서 자신이 학대를 받는다고 느끼면 도리어 타인을 학대하고, 자신이 비난받는다고 느끼면 타인을 비난하기도 한다. 과민하게 반응하고 무례하고 무신경하며 까다롭게 구는 경향이 있다. 반격은 우리가 더는 비난과 모욕, 평가절하를 당하지 않기 위해 하는 보상적인 행동이다. 그러나 반격이 지나치면 결국은 자신을 해친다.

18가지 삶의 덫의 비밀

18가지 삶의 덫은 5가지 영역인 거절, 실패, 분노, 인정, 부정성으로 구분된다.

삶의 덫

영역 \ 항목	가정 환경	발달 단계	발달학적 이슈	18가지 삶의 덫
거절	고립 단절 가정	구강기	분리·단절·거부 (Separation)	거절·불신·수치심·박탈감·소외
실패	과도 간섭 가정	항문기	자율성, 수행 (Autonomy)	실패·무기력·걱정·미성숙
분노	자유방임 가정	생식기	한계 설정 (Limitation)	분노(통제 부족)·특권 의식
인정	조건부 사랑 가정	잠재기	타인 지향 (Dependency)	인정·종속·희생
부정성	파괴적 비판 가정	남근기	과도 경계, 억압 (Boundary)	부정성·억압·경쟁·죄의식

거절 영역은 주로 고립되고 단절된 가정에서 자랐을 때 나타난다. 실패 영역은 과도한 간섭을 받으며 자란 가정에서 나타난다. 분노 영역은 주로 자유방임 가정에서 자란 경우이다. 인정 영역은 조건부 사랑이라는 환경에서 자랐을 때 생긴다. 부정성 영역은 주로 파괴적이고 비판적인 가정에서 자랐을 때 나타난다.

버림받을까 두렵다:
거절의 덫

"나는 누구도 믿지 않는다."

"나는 결국 거부당할 것이다."

"사랑하는 사람은 떠날 것이고 아무도 내 곁에 있어주지 않을 것이다."

희수는 20대 직장인이다. 남자 친구와 소개팅으로 만나서 1년째 교제하고 있다. 잘 지내다가도 희수는 남자 친구와 다투거나 연락이 되지 않으면 '버림받을지 모른다'는 두려움에 휩싸인다. 남자 친구와 잠깐이라도 연락이 닿지 않으면 불안한 것이다. 연락되지 않는 시간 동안 희수의 머릿속에는 온갖 생각이 스쳐 지나간다. '헤어지자고 하면 어쩌지?', '차라리 내가 먼저 헤어지자고 하는 것이 나을까?'처럼 부정적인 생각뿐이다. 남자 친구와 연락이 닿지 않는 시간이 길면 길수록 희수의 불안감은 점점 커지는 것이다.

희수는 어릴 때 부모가 이혼하는 과정을 겪었다. 여기에 경제적인 어려움까지 겹쳐져 불안한 유년기를 보낼 수밖에 없었다. 엄마는 희수와 동생을 건사하기 위해 닥치는 대로 일을 해야 했다. 하는 수 없이 희수와 동생은 삼촌 집에서 지냈다. 엄마를 볼 수 있는 날은 한 달에 한두 번! 엄마가 희수와 동생을 보러 삼촌 집에 발을 들여놓은 날은 눈물바다로 변하기 일쑤였다. 기쁨도 잠시. 엄마가 희수와 동생과 함께 보내는 시간은 정말 잠깐뿐이었다. 엄마가 가려고 엉덩이를 드는 순간 희수는 엄마에게 울며불며 매달렸다. 희수가 매달리고 또 매달려도 일터로 돌아가야 하는 엄마는 받아줄 여유가 없었다. 어린 희수에게 엄마 없이 보낸 유년기는 외롭고 슬픈 기억으로 남았다.

거절의 덫에 걸린 사람들

거절 영역에는 5가지 삶의 덫이 있다. 바로 거절, 불신, 수치심, 박탈감, 소외다.

'거절의 덫'을 가진 사람은 사랑하는 모든 사람이 자신을 떠날 것이라는 두려움을 안은 채 살아간다. 사람들이 자기 곁에 있어주지 않을 것이라 여기고, 결국에는 혼자 남겨질 것이라 생각한다. 주위 사람으로부터 '사랑한다', '보고 싶다', '항상 곁에 있을 것'이라는 말을 계속해서 듣기를 원하며, 그렇게 해주지 않으면 분노하고 만다. 분노와 상처의 밑바닥에는 안전하다는 느낌이 없고 외로울 운명에 처해 있다는 것을 문자 그대로 믿는 탓이다.

'불신의 덫'을 가진 사람은 일단 타인을 믿지 못한다. 나아가 다른 사람이 자신을 이용하거나 해를 끼치려 한다고 생각한다. 따라서 이 덫은 대인 관계에서 꽤 많은 문제를 일으킨다. 상대가 잘 대해주면 '숨겨진 의도가 있어서'라고 추측하며, 자신의 머릿속에서 일련의 테스트를 만든다. 테스트에서 실패한 사람은 '믿을 수 없는 사람'이라 스스로 결론짓는다. 안타깝게도 불신의 덫을 가진 사람은 거의 모든 사람을 테스트하고 불신한다. 어린 시절에 언어적·육체적·성적 학대를 받아 이와 관련된 불신의 덫을 가진 사람은 국가·민족·종교·인종·성별 등에 대해 이분법적인 방식으로 생각하고, 다른 사람의 이중성을 폭로하려는 경향이 강하다.

'수치심의 덫'은 똑똑한데도 그렇지 않다고 생각하거나, 예쁜데도 그렇지 않다고 느끼는 것이다. 수치심의 덫은 '이상하다', '어리석다', '키가 작다', '뚱뚱하다'처럼 자신에게 잘못된 것이 있다고 느끼는 수치심과 연관이 있다. 수치심의 덫을 가진 사람은 자신이 이룬 성과를 쉽게 인정하지 않고 칭찬받을 자격이 없다고 생각한다. 또 이들은 자신보다 우월한 사람에게 질투심, 경쟁심, 불안감을 느끼며, 늘 타인과 자신을 비교한다.

이 덫에 강하게 사로잡힌 사람은 계층과 지위에 과도하게 신경을 쓰며, 학업 및 운동에서 성취한 것을 과대평가하는 경향이 강하다. 결함이 있다고 느껴서 업무나 신분에 대해 결코 만족하지 못한다. 늘 스스로를 채찍질해야 하며, 그렇게 하는 과정에서 가장 친밀한 관계를 맺고 있는 사람에게 상처를 준다. 이유는 동료나 배우자의 핵심 필요를 채워주기보다는 자신의 결함에 더 몰입하는

거절 영역

덫	반복되는 패턴	어린 시절 경험	핵심 메시지
거절	•버림받았다는 느낌에 자주 빠진다. •혼자 있는 상황을 견디지 못한다. •주변 사람의 죽음을 과도하게 슬퍼한다.	•부모가 일찍 병들거나 죽거나 떨어져 지냈다.	•"나는 어느 누구도 믿지 않는다. 결국에는 거부당할 것이다. 사랑하는 사람은 떠나고 아무도 내 곁에 있어주지 않을 것이다."
불신	•이용당할 것에 대한 지나친 두려움이 있다. •늘 배신당할 것 같은 불안이 있다. •공포와 고통을 동반한 복잡한 감정을 지니고 있다.	•가까운 사람에게 언어적·신체적·성적으로 놀림을 받거나 학대를 받았다.	•"사람들은 나에게 정당하게 대하지 않는다. 나는 신체적·감정적으로 상처받고, 이용당하고, 조종당할 것이다. 사람들은 항상 그들만의 의도가 있다."
수치심	•사랑받을 가치가 없다는 느낌을 가지고 있다. •노출에 대한 공포가 있다. •심각한 자기비하가 있다.	•가족이나 친구에게 자주 비교당하거나 잘못에 대해 부당하게 대우받았다.	•"나는 선천적으로 결함이 있다. 나를 진정으로 아는 사람은 누구나 나를 사랑할 수 없을 것이다."
박탈감	•대인 관계에서 만족할 줄 모른다. •공허감에 자주 빠진다. •반복적인 이성 교제에서 실패한다.	•부모에게 신체적·정서적으로 사랑과 양육을 충분히 받지 못했다.	•"모든 사람은 나를 도와주거나 내가 필요로 하는 일에 관심을 가지지 않는다."
소외	•사회적 상황에 항상 긴장과 불안에 떤다. •열등감에 사로잡혀 살아간다. •외로움과 고독에 빠진다.	•부모의 이혼, 잦은 이사, 열악하고 소외된 환경에서 자랐다.	•"나는 사람들과 다르므로 어울리지 않는다. 어디서나 적합하지 않다."

까닭이다.

'박탈감의 덫'을 가진 사람은 성장기에 부모와 감정적으로 친근하다는 느낌을 받지 못한 경우다. 이들은 물리적으로 부모와 떨어져 있었거나 감정적으로 거리가 멀었을 수 있다. 어떤 경우에는 혼자 남겨져 인격 형성기에 공허감만 느꼈을 수도 있다. 이 경우 자신이 이해받지도 사랑받지도 못한다고 느끼며, 사랑을 충분히 받아도 만족하지 못한다. 이들에게는 바닥이 없는 구덩이가 내재하고 있는 것이다. 이 덫에 걸린 사람은 자주 외롭다고 느끼며, 아무도 자신에게 관심을 쏟지 않는다고 생각한다. 상대방의 마음과는 상관없이 본인은 타인과 깊은 관계를 맺을 수 없다고 판단한다.

'소외의 덫'을 가진 사람은 자신은 주위 사람들과 다르다고 생각한다. 따라서 타인과 어울릴 수 있는 모임을 피하고 참석하더라도 쉽게 어울리지 못한다. 자신만 두드러져 보인다고 생각하기도 한다. 물론 그들이 다른 사람보다 더 똑똑하거나 명성이나 권력이 있는 집안 출신이어서 남들과 다르다고 여길 수도 있다. 여기서 중요한 것은 소외의 덫을 가진 사람은 남들과 어울리지 못하고 어떤 집단에도 속하지 않는다고 느낀다는 것이다. 즉, 혼자 겉도는 사람이다. 이 덫에 사로잡힌 사람은 공통점이 아니라 '차이점'에 더 집중한다. 소외의 덫은 수치심의 덫과 관련이 있지만, 그것과는 다르다. 수치심의 덫이 있는 사람들은 내적으로 열등하다고 느끼는 반면, 소외의 덫을 가진 사람들은 외적인 요인으로 어울리지 않는다고 생각하기 때문이다. 이 덫을 가진 사람들은 종종 사회적 기능을 떠맡는 것을 피하고 고독과 외로움을 즐기기도 한다.

나를 찌르는 거절의 날

거절의 덫에 걸린 사람은 '버림받았다'는 느낌을 자주 받는다. 타인에게 끊임없이 사랑을 갈구하기도 한다. '사랑한다', '보고 싶었다', '난 네 편이다'라는 말을 자주 듣기를 원한다. 하지만 자신의 이런 욕구가 충족되지 않으면 쉽게 화를 내기도 한다. 타인이 자신을 이용하거나 해를 끼치려 한다는 생각을 자주 한다. 수치심으로 인해 자신의 성과를 인정하지 않고, 스스로 칭찬받을 자격이 없다고 생각하거나 자신보다 우월한 사람에게 과도한 질투심과 경쟁심, 불안감을 느끼기도 한다. 따라서 무슨 일을 해도 채워지지 않는 공허함을 항상 느끼며, 다른 사람에게 아무리 관심과 사랑, 인정을 받아도 만족하지 못한다. 아울러 상대편과 달리 자신은 깊은 대인관계를 맺지 못한다고 생각하기 때문에 거절의 덫을 가진 사람들은 반복적인 습관성 이성 교제를 할 확률도 높다.

희수의 경우처럼 거절의 덫에 걸린 사람의 유년기를 좀 더 깊이 들여다보겠다. 거절의 덫에 걸린 사람의 상당수가 보낸 어린 시절은 처지가 딱하고 어렵다. 부모가 일찍 돌아가셨다거나 이혼으로 부모와 떨어져 지낸 이들도 적지 않다. 이혼과 재정 문제처럼 특정한 이유로 부모가 아닌 다른 사람과 유년기를 보내거나 부모와 심각한 갈등을 겪은 이들도 있다. 다른 형제, 자매 혹은 누군가로 인해 부모의 관심을 받지 못하거나 편애를 겪은 경험이 있는 이들도 있다. 부정적으로 비교를 당하거나 자신으로 인한 부모의 실망감을 보며 자란 이들도 물론 있을 것이다. '넌 뭘 잘하니?', '멍청하기는', '어쩜 그리 못났니?', '혼자서 할 줄 아는 게 없어' 같은 자신의 가치를 낮추거나 주눅이 들게 하는 말을 자주 들은 이들도 있을 것이다. 물론 이러한 환경에 처한 모든 사람이 거절의 덫에 걸린다는 의미는 아니다. 단지 사랑과 관심이 필요한 유년기에 거절의 상처를 받으면, 성인이 되어서도 남아 있을 가능성이 그만큼 높다는 것이다.

이들의 특징은 누군가를 신뢰할 수 없다는 믿음과 항상 외로울 것이라는 생각에 사로잡혀 있다는 것이다. 이들은 스스로 외로워질 거라 믿고 부모, 배우자, 친구, 지인 등 자신에게 소중한 사람들이 자신을 떠날까 봐 두려워한다. 하지만 이러한 자신의 감정을 솔직하게 드러내는 데는 익숙하지 않다. 따라서 상대방이 자신에게서 멀어진다고 느껴질 때면 자신이 먼저 도망치거나 가까이 가는 것을 피하는 것으로 두려움을 극복하려 한다. 이 덫을 가진 사람들은 관계에 대한 불안함으로 대인 관계가 좁고 상당히 제한적이며 약물중독, 음주 및 흡연에 약한 모습을 보인다.

누구도 나에게 열등감을 느끼게 하지 못한다

'거절의 덫'을 가진 사람은 가장 가까운 관계에서 불안감을 느끼며 이를 과장해 받아들인다. 이 덫에서 빠져나오려면 사람들과의 갈등, 버림받을지 모른다는 공포와 두려움을 분리시켜 인식해야 한다. 관계에서의 확고한 믿음을 가지려면 어떻게 해야 하는가. 무엇보다 관계 변화에 두려움을 가지지 말아야 한다. 상대가 나를 떠나지 않을 것이라는 믿음과 상대를 인정하고 놓아줄 수 있는 용기야말로 거절의 덫에서 벗어나는 길이다.

'불신의 덫'에 갇힌 사람들은 보통 흑백논리, '모 아니면 도'로 구분하여 중간이 없다. 불신의 덫에서 벗어나려면 사람은 신뢰할 수 있는 사람과 아닌 사람들로만 나뉘는 것이 아니라는 것을 일깨우는 것이다. 불신의 덫에 걸린 사람은 믿음과 신뢰를 확인하려고 누군가를 끊임없이 테스트한다. 이는 스스로를 불신의 덫에 가두는 것과 다름없다. 반드시 그 테스트를 멈추어야 한다.

'수치심의 덫'이 있는 사람은 자신을 무가치하고 어리석고 무능하며 불운하다고 생각한다. 자신의 약점에 과민반응하고 약점이 타인에게 드러날까 봐 노심초사한다. 그러니 변화의 시작은 스스로 부정적이고 왜곡된 시각을 인식하고, 모든 사람에게 약점이 있음을 받아들이는 것이다. '실수하는 것이 인간'이라는 것을 인정하고 받아들일 때 작은 변화가 시작되는 것이다. 수치심은 자율성을 통해 극복할 수 있다. 굴레에서 벗어나 스스로를 자유롭게 하는 것부터 시작해보자.

'박탈감의 덫'이 있는 사람은 사랑받기를 갈망한다. 변화하려면 가장 먼저 마음을 열고 자신의 욕구와 필요를 표현해야 한다. 그다음 자신의 필요를 채워줘야 한다. 박탈감은 다른 어떤 것보다 사랑을 통해 극복될 수 있다. 그 사랑은 타인에 대한 것은 물론 자기 스스로에 대한 사랑을 동반해야 한다. 자신의 감정을 천천히 들여다보고 일방적 관계가 아닌 상대적 관계가 될 수 있도록 노력할 때 박탈감의 덫에서 빠져나올 수 있을 것이다.

'소외의 덫'에 있는 사람은 '자신은 누구와도 어울리지 못하는 존재'라고 생각한다. 따라서 자신과 다른 사람의 차이점을 과도하게 과장해서 받아들인다.

먼저 차이점을 인정하고 인식해야 한다. 다른 사람과의 차이점보다는 공통점을 찾으려고 애쓰며, 조금 더 용기를 내어 상대에게 한 발짝 다가갈 수 있도록 노력해야 한다. 소외는 소속을 통해 극복할 수 있다. 소속은 물리적 소속은 물론 심리적 소속도 포함된다. '다른 점'보다는 '같은 점', '공통점'에 주목하면 타인에게 다가갈 때 소외의 덫에서 빠져나갈 수 있을 것이다.

지금 거절의 덫을 가진 이들이 있다면 '상대가 나를 떠날 것'이라는 두려움과 '내가 먼저 떠나야겠다'는 잘못된 판단 속에 스스로에게 칼날을 들이대지 않기를 바란다.

결국, 실패하고 말 거야:
실패의 덫

"나는 무능해서 그런지 실패해왔고 실패하고 있으며 앞으로도 실패할 것이다."
"나는 다른 사람에 비해 재능이 없고 성공적이지 못하다."

민석은 인정받는 예술가다. 경제적으로도 사회적으로도 꽤 괜찮은 지위에 있으며 여유롭게 살고 있지만, 스스로는 그렇지 못하다고 생각한다. '실패했다'는 생각에 우울감이 극에 달해 있다. 민석은 늘 "나는 세계미술대회에서 입상하는 정도에 그쳤고", "비록 교수로 임명되기는 했지만 원하던 일류 대학은 아니"라고 말한다. 자기 자신을 '낙오자'이자 '실패자'라고 여기는 것이다. 촉망받는 예술가로서의 민석의 모습을 본 사람들은 우울증으로 정신과 치료를 받는 민석의 모습을 상상조차 하지 못한다.

민석은 어린 시절부터 미술에 소질을 보였다. 하지만 민석의 부모님은 "미술을 잘해서 뭐하니? 공부를 잘해야지!"라며 자식의 소질을 인정하지 않았다. 미술을 포기할 수 없었던 민석은 부모님의 기대에 부응하기 위해 공부도 열심히 했지만, 성적은 늘 기대 이하였다. 공부 잘하는 것이 더 중요하다고 생각했던 부모님은 "미술을 포기하고 공부에 집중하라"고 요구할 뿐 민석의 재능에는 관심이 없었다.

실패의 덫에 허덕이는 사람들

실패 영역에는 4가지 삶의 덫이 있다. 실패, 무기력, 걱정, 미성숙이 바로 그것이다.

'실패의 덫'은 다른 사람이 칭찬하거나 인정을 해도 받아들이지 않는 것이다. 반대로 다른 사람이 이룬 성취나 재산, 지위와 자신을 비교하며 항상 자신을 실패자라 생각한다. 이들은 자신이 이룬 성공에 대해서도 '단지 운이 좋았던 것'으로 치부해버린다. 이 덫을 가진 사람들은 실패해왔고 앞으로도 실패할 운명이기에 성공하려고 최선을 다하지 않는다. 그들이 이렇게 느끼는 이유는 무엇일까? 끊임없이 동료·가족·친구 또는 지인과 자신을 비교하기 때문이다. 자신이 가진 재능에 집중하기보다는 성공할 만한 것이 아무것도 없다고 치부해버리는 것이다.

'무기력의 덫'을 가진 사람은 모든 책임과 임무, 의무가 뒤따르는 삶을 견디지 못한다. 이들은 자신의 능력에 대한 확신이 없고, 다른 사람이 지속적으로 곁에 있어주기를 원한다. 혼자 남겨지는 것

실패 영역

덫	반복되는 패턴	어린 시절 경험	핵심 메시지
실패	•스스로를 실패자로 인식한다. •능력보다 낮은 수준의 일을 한다. •최소의 일만 하여 늘 승진에 실패한다.	•어려서 자신의 강점을 계발하지 못했다. •재능이 없는데도 부모가 원하는 것을 했다. •잘못에 대해 비난을 많이 받았다.	•"나는 무능하므로 실패해 왔고, 실패하고 있고, 실패할 것이다. 다른 사람에 비해 재능이 없고 성공적이지 못하다."
무기력	•항상 부모나 상사에게 의존한다. •자립하지 못하고 주위에 의지한다.	•과잉 보호를 받았다. •부모로부터 떨어지지 못해서 친구들과 여행도 가지 못한다.	•"나는 자신을 돌볼 수 없다. 살아남으려면 사람들에게 의지해야 한다. 혼자서는 어떤 문제도 해결하지 못하고 아무 결정도 하지 못한다."
걱정	•지나친 두려움과 공포가 있다. •즐길 수 있는 것조차 많은 상황을 회피한다.	•부모가 가진 걱정의 덫을 그대로 모방한다. •부모가 가난, 질병, 폭력, 비극에 대해 끊임없이 말한다.	•"나에게 불행과 재앙이 다가오고 있다. 곧 나쁜 일이 일어날 것이다. 나는 그것에 대해 대처할 힘이 하나도 없다."
미성숙	•가까운 사람과의 지속적인 유대감과 친밀감이 절대 필요하다. •혼자서는 아무것도 하지 못한다.	•부모와의 과도한 애착과 친밀한 유대감이 성인까지 지속되었다. •부모와 말하지 않아도 알 정도로 가깝게 지낸다.	•"나는 부모나 배우자의 지속적인 접촉과 친밀감 없이 혼자서 살아갈 수 없다. 이를 확신하기 위해 부모나 배우자가 생각하는 것을 알아야 한다."

에 두려움을 느끼는 이들은 자신을 대신해주거나 일을 도와줄 사람에 대한 의존도가 상당히 높다. 또 무엇을 해야 할지에 대한 생각이 자꾸 바뀌고, 결정을 내리지 못하며, 앞서 내린 결정이 옳았는지 확신하지 못한다.

'걱정의 덫'이 있는 사람은 위험이 늘 눈앞에 있다는 생각에 사로잡혀 있다. 이들은 심한 질병에 걸리거나 경제적으로 궁핍해질 가능성이 높다. 아니면 사고, 폭행 또는 다른 나쁜 일들이 자신에게 일어날 것이라는 잘못된 확신으로 스스로를 공포에 몰아넣기도 한다. 예를 들면 신체검사를 자주 받으러 간다거나 조금만 아파도 심장마비 같은 심각한 질병의 징후로 여기는 것이다. 과도한 근심이 실제로 질병으로 나타나기도 한다. 과도한 걱정으로 겪는 스트레스로 그들이 갖는 두려움을 현실화하기도 한다. 두려움이 더 많은 두려움을 낳은 것이다.

'미성숙의 덫'을 가진 사람은 관계에서 경계를 잘 구별하지 못한다. 이들은 타인과 지나치게 긴밀히 연결되어 있어 타인들과 자신을 구별해내는 것조차 힘들어한다. 미성숙의 덫을 가진 사람은 부모·배우자·형제·자매·친구 등에 밀착되는 경우가 많다. 일반적으로 어머니에게 밀착되는 성인은 배우자보다 어머니와 더 많이 대화한다. 이를테면 아이에게 어떤 이름을 지어줄지, 어떤 집을 구매할지, 어떤 직업을 가질지에 대해 어머니와 상의한다. 육체는 다른 두 사람이지만 서로 다른 사람이 아닌 한 사람이라 느끼기 때문이다. 배우자에게 밀착되면 지나치게 심한 친밀함이 문제가 되기도 한다.

실패자 낙인찍기

실패의 덫을 가진 사람은 칭찬이나 존경, 대접을 진심으로 여기지 않는다. 본인의 재능을 평가절하하거나 '운이 좋았을 뿐'이라 치부한다. 다른 사람이 이룬 성취나 재산, 지위와 비교하며 항상 자신을 실패자라 생각한다. 자신의 능력보다 낮은 수준의 일을 선호하고 승진이나 시험 등에 자주 실패한다. 반복된 실패는 결국 최선을 다하려는 동기를 약화시키고 실패의 덫을 한층 더 강화시키는 악순환을 만든다. 나아가 갈등이나 문제가 닥치면 실패할 운명이라 여기며, 매우 수동적으로 대처한다. 노력하지 않는 자신에 대해 변명을 늘어놓는가 하면, 주어진 임무를 질질 끌며 마무리하지 않는다. 성공하지 못한다는 믿음이 현실이 될까 두려워 도망가고, 도전을 피하는 것이다.

한편, 일부 사람은 '자신이 실패자가 아니'라는 것을 증명하려고 무던히 애쓰기도 한다. 자신을 극단으로 이끌어 더 많은 것을 성취하도록 몰아세우는 것이다. 하지만 실패의 덫에 빠진 사람의 대다수는 타인에 대한 의존도가 높다. 항상 부모나 형제, 친구, 지인, 직장 상사, 부하 등 누군가의 도움으로 일을 해결하려고 한다. 즐겁게 누릴 수 있는 일상인데도 이조차 회피하는 경향이 크다. 심할 경우, 자신에게 일어날지도 모르는 위험을 막기 위해 미신이나 종교에 심취하기도 한다.

반대로 끔찍한 일이 일어나지 않는다는 것을 증명하기 위해 어떤 행동을 할까? 이들은 과잉행동을 하여 위험을 불러일으키기도 한다. 미성숙의 덫에 있는 사람은 나와 타인의 영역에 대한 구분이 모호하고, 다른 사람과의 과도한 긴밀함으로 혼자 있는 것을 두려워하기도 한다. 즉, 타인과 나를 분리된 개체로 받아들이지 못하고 모든 것이 공유된다고 여기는 것이다.

실패는 막다른 길이 아니다

'실패의 덫'에 있는 사람은 자신이 처한 위치를 제대로 보지 못한다. 하지만 모든 사람은 어떤 분야에서든 한계가 있기 마련이다. 자신이 스스로 믿는 것보다 더 낫다는 걸 인식해야 한다. 가장 중요한 것은 자신과 다른 사람을 공평하게 비교하고, 타인의 성공에 대해 자극받는 강도를 약화시켜야 한다는 것이다. 다른 사람의 기대에 맞추기보다는 자신의 강점에 집중하고 이를 활용하여 두각을 나타낼 때 새로운 힘이 솟아날 수 있다.

실패는 도전을 통해 극복할 수 있다. 도전하는 것을 두려워하지 말자! 이때 겪는 실패는 또 다른 용기의 밑거름이 될 것이다.

'무기력의 덫'이 있는 사람은 지극히 일상적인 일에 대한 자신의 무기력함과 의존의 정도를 알지 못한다. 그렇기에 자신으로 인해 주변 사람이 얼마나 힘이 들고 부담스러워하는지조차 알지 못한다. 따라서 가벼운 책임으로 시작해 점차 난해한 것들을 해결할 수 있는 능력을 키움으로써 무기력과 의존도를 낮추는 데 집중해야 한다.

무기력은 능력을 통해 극복할 수 있다. 자신의 능력을 키우자! 그것이 바로 무기력의 덫에서 벗어날 수 있는 첫걸음이다.

'걱정의 덫'에 있는 사람은 어떨까? 어릴 때 부모님으로부터 건강이나 안전, 경제력에 대한 강박 관념의 모습을 습득한 경우가 많다. 이 덫의 첫 해결책은 위험하고 안전하지 못하다는 느낌이 과장되었다는 것을 확실히 인지하는 것이다. 비극이 일어날 가능성은 있지만, 개연성은 아주 낮다. 따라서 개연성의 관점에서 삶을 바라보는 훈련을 하는 것이 바람직하다.

걱정은 평화를 통해 극복할 수 있다. 사색을 통해 마음의 평화를 얻는다면 걱정의 덫에서 벗어나는 것 역시 가능할 것이다.

'미성숙의 덫'에 있는 사람들은 배우자를 비롯하여 특히 부모와 모든 것을 상의하고 결정하려 한다. 어느 누군가와의 과도한 밀착은 본인뿐 아니라 상대방 역시 힘들게 한다. 누군가의 간섭이나 의존 없이 진정한 자아를 찾고 건강한 자신만의 울타리를 세워야 한다.

미성숙은 성숙을 통해 극복할 수 있다. 타인으로부터 독립하고 자신을 찾기 위해 노력하면 성숙해질 것이다.

화가 나 미치겠어:
분노의 덫

"나는 불편한 것이 참 싫다. 불편해서도 안 된다. 내 맘대로 안 되면 다 부숴버릴 것이다."

현준은 신경에 거슬리거나 스트레스를 받으면 분노를 통제하지 못한다. 부부 관계에서도 마찬가지다. 자신의 의지와 상관없이 폭발한 분노는 고스란히 아내에게 상처를 남기고 만다. 이로 인해 아내와의 갈등은 깊어질 대로 깊어졌다.

현준은 아내에게 미안하다. 하지만 아내가 신경을 건드릴 때마다 화가 난다. 한 번 화나기 시작하면 걷잡을 수 없는 게 문제이다. 해서는 안 되는 말을 쏟아내기도 하고 아내에게 심한 욕을 쏟아붓기도 하며, 물건을 던지기도 한다. 현준은 분노를 통제하지 못하는 자신이 아주 답답하다.

현준의 어린 시절로 돌아가보자. 현준의 아버지는 어머니에게 폭력을 행사했다. 아버지의 손은 어머니뿐 아니라 현준에게도 어김없이 닿았다. 현준은 그럴 때마다 다짐했다.

"나는 이다음에 아버지처럼 되지 말아야지", "아버지처럼 폭력은 절대 쓰지 않을 거야."

하지만 다짐과는 다르게 신경을 건드는 일이 일어날 때마다 '폭력'적인 모습이 불쑥 튀어나왔다. 어머니는 현준의 폭력적인 모습을 볼 때마다 눈물만 훔쳤을 뿐이다. 무엇이 옳고 그른지에 대한 규칙과 규율, 인내를 가르쳐주지는 않았다. 현준은 자신의 행동을 자제하기 위한 인내하는 법을 배우지 못한 것이다.

분노의 덫에서 헤매는 사람들

분노 영역에는 2가지 삶의 덫이 있다. 분노(통제 부족)와 특권 의식이다.

'분노(통제 부족)의 덫'을 가진 사람은 감정을 부정적으로 표현하고, 어려운 임무를 피하며, 유혹에 항복한다. 분노의 덫은 관계에서의 건강한 상호 의존 행위와 목표 설정 및 달성을 방해한다. 이 덫을 가진 사람은 통제되지 않는 분노, 성적 문란, 과식 같은 충동 조절에 어려움을 겪는다. 나아가 중독으로 발전할 위험을 내포하고 있다.

일반 사람에게는 전혀 문제될 것이 없는 '일정한 시간 동안 앉아 일하기' 같은 것을 어려워하기도 한다. 그 이유는 '아주 지겹다'고 느껴서다. 따라서 이 덫을 가진 사람은 임무에 착수하더라도 쉽게

분노 영역

덫	반복되는 패턴	어린 시절 경험	핵심 메시지
분노 (통제 부족)	•항상 어렵고 불편한 업무를 피한다. •쉽게 유혹에 넘어간다. •충동을 통제하지 못한다. •과음·과식을 자주 한다.	•부모가 성장과 훈련에 전혀 관여하지 않았다. •스스로 한계를 정하여 마음대로 생활하였다.	•"나는 불편한 것이 참 싫다. 불편해서는 안 된다. 내 맘대로 안 되면 다 부숴버릴 것이다."
특권 의식	•배려심이 없어 주위에 친구가 생기지 않는다. •외톨이가 된다. •여러 중독에 빠진다.	•적절한 경계선 없이 자유롭게 성장하였다. •수치심을 보상하기 위해 허세를 부리고 오히려 타인에게 망신을 주었다.	•"나는 특별하고 다른 사람보다 우월하다. 어떤 규칙도 나에게는 적용되지 않는다. 나는 항상 첫 번째여야 한다."

산만해지고, 일이 어려워 보이면 바로 포기한다. 이들은 시작한 그 어떤 것도 끝내기를 힘겨워한다. 또 그들이 행하는 행위의 대부분이 욕구에 기초한 것이기에 장기적 인식이 없으며, 결정을 내리는 데 경솔한 모습을 종종 보이기도 한다. 자신의 무절제로 비참한 결과를 겪을 때만 문제 해결을 해야 한다는 것을 깨닫는다.

'특권 의식의 덫'을 가진 사람은 그들이 원하거나 필요한 것이 늘 최우선이라고 믿는다. 자신은 비행기가 이륙할 때 안전띠를 매지 않아도 되고, 불법 주차를 할 수도 있다고 생각한다. 자신의 방식대로 일이 되지 않으면 화를 내고, 다른 사람에게 불이익을 주더라도 상관하지 않는다. 이들은 게임에서 이기는 것이 중요하므로 규칙을 마음대로 바꾸기도 한다. 또 조직 내에서 두각을 나타내며 수완이 좋은 현실적인 인도자임을 스스로 자랑스러워하고, 부정적인 대답을 듣기 싫어한다. 따라서 확고한 의지가 있는 사람처럼 보이기도 한다. 하지만 이들은 대부분 자신의 뜻대로 행동하므로 다른 사람에게 도움을 구한다거나 변화해야 할 필요를 느끼지 못하는 경우가 많다.

통제하기 어려운 분노, 특권 의식에 중독되는 나

'분노의 덫'에 빠진 사람은 통제하기 어려운 분노나 성적 문란, 과식과 과음 등 충동 조절에 어려움을 호소한다. '지금', '현재'에 집중한 탓에 단기간에 쾌락을 주는 것을 이롭다고 여기며, 쇼핑과 도박, 성관계 중독이 될 가능성이 높다. 또 쉽게 산만해진다. 어렵고 힘든 업무는 피하거나 포기해버린다. 이들의 행동 대부분은 기본 욕구에 기초한 것들이며 결정을 내리는 데는 경솔하다. 이 덫에 빠진 사람은 절제하는 것이 힘들고 장기 안목이 없다. 따라서 어떤 일을 시작해도 쉽게 포기하고 지름길을 찾거나 대신할 사람을 물색하느라 바쁘다. 충동 조절이 제대로 되지 않아 자신의 감정을 지나치게 솔직하게 표현하는가 하면, 쉽게 욕을 하고 분노를 표출하여 폭행이나 큰 사고로 이어지기도 한다. 결국, 상대방의 상처 역시 깊어질 수밖에 없다. 반대로 자신을 지나치게 통제하고 엄격하게 제한하는 사람도 있다.

'특권 의식의 덫'에 빠진 사람은 버릇이 없거나 남을 배려하는 태도를 배우지 못한 경우가 많다. 자아도취에 빠져 상대방의 상황이나 처지는 잘 생각하지 않는다. 자기가 원하는 것이 늘 최우선이고, 자신의 방식대로 일이 되지 않으면 화를 낸다. 이들은 부정적인 대답을 듣거나 약점이 드러나는 것을 싫어하며, 도움을 요청하거나 변화해야겠다는 필요성을 느끼지 못한다. 자신의 필요가 최우선이고, 자신이 원하는 것이 다른 어떤 것보다 중요하다고 생각하기 때문이다.

하지만 이들의 내면은 조금 다르다. 자신의 특별함을 잃는 순간, 자신에 대한 사람들의 관심도 끊어질 것이라는 두려움에 사로잡혀 있다. 따라서 이들은 자신의 뜻대로 되지 않으면 울화를 터뜨리거나 토라지고, 남들에게는 규칙을 강요하면서도 정작 본인은 그 규칙을 지키지 않는 경우가 종종 있다. 다른 사람의 반응을 긍정적으로 받아들이지 못하는 것은 물론 자신의 약점이나 결점을 드러내는 것을 극도로 싫어한다. 남에게 지는 것은 물론 다른 사람이 자신보다 앞서는 것도 싫어해 자신이 뛰어나지 못할 상황은 피해버린다. "내가 얼마나 베풀고 있는데, 이런 식으로 나를 대하는 거야?"라는 생각도 특권 의식에서 비롯된 것이다.

누구든지 화낼 수 있다

'분노의 덫'이 있는 사람은 자신이 불편해지는 것, 힘든 것, 어려운 것을 다른 사람에 비해 더 크게 받아들이고 힘들어한다. 분노의 덫에서 벗어나려면 임무 성취와 인내심의 가치를 이해하고, 자기 통제 능력을 향상시켜야 한다. 분노의 덫은 폭발적이고 파괴적이다. 본인 스스로와 주변 사람들을 아프게 할 수 있다.

분노는 훈련으로 극복할 수 있다. 따라서 자기 통제를 거쳐 분노를 가라앉히는 훈련을 반복해야 한다.

'특권 의식의 덫'에 있는 사람은 자신처럼 다른 사람도 권리와 필요가 있음을 배우는 과정을 겪어야 한다. 모든 사람은 동등하며 존중받아야 한다. 상대방에게 공감하고 상대방의 욕구와 필요도 충분히 만족되어야 한다는 사실을 잊으면 안 되는 것이다. 특권 의식의 덫은 박탈감이나 결함의 덫에 대한 반응으로 이어질 수 있다. 따라서 자신의 상황을 객관적으로 파악해야 한다.

특권 의식은 절제를 통해 극복할 수 있다. 나의 상황을 제대로 바라보고, 욕구와 필요를 절제하는 것! 아울러 다른 사람의 기본권을 지켜줄 때 특권 의식의 덫에서 벗어날 수 있을 것이다.

인정받고 싶다:
인정의 덫

"나는 정말 상대방의 인정을 받아야 한다."

"만약 상대방이 나를 인정하지 않는다면 무언가 잘못된 것이다."

철민은 유명 대학을 졸업하고 대기업에 입사했다. 하지만 언젠가부터 의욕도 떨어지고 우울감이 철민을 감싸기 시작했다. 다른 사람들에게 잘 보이는 방법은 누구보다 잘 알지만 정작 스스로가 원하는 것이 무엇인지는 생각해보지 않아서이다. 어렸을 때는 부모님께, 대학 때는 교수님께, 직장에서는 부장님께 인정받기 위해 열심히 앞만 보고 달렸다. 하지만 정작 자신을 위해 달려온 순간은 없었다. 이것이 철민을 우울하게 했다.

어린 시절 철민의 부모님은 어떠했는가. 철민과 형을 늘 비교했다. 형은 늘 전교 최상위권에 드는 모범생이었고, 대학도 손꼽히는 곳에 들어갔다. 하지만 철민은 공부보다는 음악이 좋았다. 음악을 전공하면 부모님께 인정받을 수 없다는 것을 누구보다 잘 알았다. 부모님은 공부 잘하는 형을 늘 자랑스러워한 탓이다. 철민도 형처럼 부모님께 인정받고 싶었다. 형처럼 되려고 죽자 살자 공부했고 결국 좋은 대학에 발을 들여놓았다. 엄친아란 소리도 제법 들었다. 하지만 늘 철민의 마음 한구석에는 허무감과 우울감이 도사리고 있었다.

인정의 덫에 빠진 사람들

인정 영역은 3가지 삶의 덫 즉 인정, 종속, 희생을 포함한다.

'인정의 덫'을 가진 사람은 자신에 대한 다른 사람의 평가를 중요시한다. 다른 사람이 자신에 대해 만들어놓은 울타리를 넘어서는 데 어려움을 느낀다. 다른 사람이 자신에 대해 어떻게 생각하느냐가 그들이 자기 자신을 어떻게 생각하느냐를 결정한다. 다른 사람의 생각이 자신의 의견을 형성하는 데 우선시되는 것이다. 다른 사람의 인정을 갈구하는 것, 그것이 바로 인정의 덫에 빠진 사람들의 특징이다.

다른 사람의 평가에 따라 자신을 규정짓는 것만큼 슬픈 것은 없다. 하지만 이들은 다른 사람의 인정을 받지 못했다고 느끼는 순간, 세상이 무너지는 좌절을 겪는다. 또 자신이 한 선행에 관심을 끌고자 다양한 노력을 쏟는다. 진정한 자아상을 발전시키지 못하는 모습을 보이기도 한다.

'종속의 덫'을 가진 사람은 자신의 욕구나 필요, 의견이 중요하지 않다고 생각한다. 이들은 자신의 표현을 억누르며 수동적이고 공격적인 사고나 행동, 위축, 궁극적으로는 강한 분노를 품는다. 즉 사랑과 애정이 사라질세라 갈등을 극도로 두려워하고, 자기 자신을 무시한 채 다른 사람에게 항복한다. 자신의 의견을 표현하지 않고 표현하더라도 갈등이나 거부에 대한 두려움으로 인해 자신의 의견을 배우자의 의견만큼 중요하다고 여기지 않는다. 다른 사람에게 끌려다니느라 정작 나에게 필요한 것은 무엇인지 귀 기울이지 못하는 것이다. 그러다 보면 점점 화와 분노가 쌓이게 된다. 주위 사람들은 이것이 그들의 장점이라고 말하지만, 사실은 약점이다. 종속된 사람이 자애(self-care)의 필요를 느끼더라도 혹시나 자신이 분노의 대상이 되거나 버림받을까 봐 두려워한다. 결국에는 이 덫을 가진 사람은 벽에 부딪히는 느낌을 받을 수밖에 없다. 분노가 폭발하고 나면 공격 성향을 띠게 될 것이다. 이 모습을 본 배우자는 종속된 배우자에게 문제가 있다고 느끼게 되며, 종속된 사람은 권위에 반항하고 어떤 규칙도 따르기를 거부한다.

'희생의 덫'을 가진 사람은 순교자적인 희생을 과시하지 않는 한 보통은 매우 친절하다. 이들은 진심으로 다른 사람을 돌보고, 다른 사람의 고통과 감정에 공감한다. 또 다른 사람의 고통을 덜어주기 위해 책임을 함께 지기도 한다. 이들은 다른 사람이 불편하도록 내버려두는 것보다 자신이 고통당하기를 원한다. 이들이 다른 사람의 고통을 덜어주고자 하는 것은 그것이 바로 자신의 책임이라 생각해서다. 이들은 다른 사람을 위해 희생하지 못하면 스스로 죄책감을 느끼기 때문이다. 따라서 희생의 덫에 있는 사람은 정작 자

인정 영역

덫	반복되는 패턴	어린 시절 경험	핵심 메시지
인정	• 주위 사람에게 인정을 받지 못하면 불안해한다. • 타인을 통해서 정체성을 찾는다.	• 항상 지위, 외모, 인정을 강조했다. • 나르키스적인 부모	• "나는 상대방의 인정을 받아야 한다. 만약 상대방이 나를 인정하지 않는다면 무언가 잘못된 것이다."
종속	• 타인의 기분을 맞추려고 노력한다. • 상대의 욕구에 지나치게 민감하다. • 보통 조직의 오른팔 역할을 한다.	• 스스로 결정을 내리지 못하도록 했다. • 부모의 과도한 통제, 부모가 원하는 대로 하지 않을 때 폭력을 행사했다.	• "나는 나보다 상대방의 필요와 욕구를 따라야 한다. 그렇지 않으면 소중한 사람들에게 버림받게 될 것이다."
희생	• 지나치게 상대의 욕구를 채우려고 한다. • 상대의 욕구를 채우지 못할 때 죄의식을 느낀다.	• 소년 가장 역할을 했다. • 부모가 희생의 역할 모델을 보여주었다. • 목사나 간호사 등 헌신적인 직업을 가진 부모	• "나는 자신보다 상대방의 필요와 욕구를 채워줘야 한다. 소중한 사람들에게 고통을 주고 싶지 않다."

신의 필요를 채우지 못해 허탈감을 느끼는데, 이때 덫에 갇히고 만다. 덫은 우울증이나 신경쇠약 같은 정신 건강상 문제를 낳을 수 있다. 특권 의식의 덫을 가진 몇몇 사람은 다른 사람에게 베푸는 것으로 양심을 달래기도 한다.

인정받기 위한 처절한 몸부림

'인정의 덫'에 걸린 사람은 자신의 필요와 욕구에 관심을 기울이기보다는 타인을 통해 자아 정체성을 확인하려 한다. 주변 사람에게 인정받지 못하면 불안하고, 인정받을 방법을 생각해낸다.

이런 사람은 어린 시절 부모로부터의 인정에 목말라 있다. 이들의 부모는 자신의 업적과 명예 등을 과도하게 내세우는 성향이 있는 사람이거나 자녀의 마음과 생각보다는 겉으로 보이는 것에 더 신경을 쓰는 사람이었을 수도 있다. 이들에게 자부심은 '자신이 무엇을 좋아하고 잘하는지'보다는 '다른 사람에게 인정받는 것'과 더 깊게 관련되어 있다. 따라서 인정의 덫에 걸린 사람은 다른 사람을 기쁘게 하려고 애쓴다. 인정받지 못하면 초조하고 두려워한다. 자신에 대한 다른 사람의 생각이 가장 중요하며, 타인과 생각이 다를 때 불안함을 느낀다. 이에 자신을 인정해주지 않을 것 같은 사람을 멀리하고, 인정받지 못하는 상황으로부터 도망친다.

한편 일부는 반항적인 모습을 보이기도 한다. 다른 사람의 인정을 과도하게 부정하는 것이다. 다른 사람의 인정을 받아야 한다는 믿음에 대항하여 비행을 저지르기도 하고, 내면에서는 타인의 시선을 무척 신경 쓰면서도 인정받지 않으려고 노력한다.

반면 '희생의 덫'에 걸린 사람은 다른 사람을 도와주려는 욕구가 강하고 모든 일에 책임감을 가진다. 자신의 필요보다는 타인의 필요에 지나치게 관심을 쏟게 됨으로써 대부분의 일을 도맡은 경우가 허다하다. 이러한 관계가 지속되면 내면에 분노가 조금씩 자라기 시작한다. 상대에게 주기만 하고 받지 못하는 상황을 인지하게 되어 허무함을 느끼게 되는 것이다. 하지만 상대방은 이들의 희생을 당연하게 여긴다. 반복된 호의는 당연한 것으로 여겨지니 말이다.

희생의 덫에 걸린 사람의 특징은 받는 것에 익숙지 않다는 것이다. 대신 주는 것에 편안함을 느낀다. 자신을 위하는 것에 죄책감을 느끼고 자신이 우선되는 것을 불편하게 생각한다. 반대로 이러한 희생의 덫에 걸린 사람 중 일부는 다른 사람을 우선시해야 한다는 내면의 믿음에 대항하여 베풀기를 거부한다. 자신이 무언가를 베풀었을 때 상대가 반응하지 않으면 분노를 느끼기도 한다. 분노가 쌓이다 보면 어느 순간 그 분노가 폭발하게 된다.

스스로를 존경하라!

'인정의 덫'에 걸린 사람은 자기 확신이 없다. 다른 사람의 생각과 시선을 신경 쓰는데 에너지를 과하게 쏟아서 그렇다. 이들에게 가장 중요한 것은 스스로 자신의 가치관과 신념, 확신을 갖는 것이다. 사람은 진정한 자아와 교감할 때 가장 큰 충족감과 만족감을 느낄 수 있다.

인정은 자부심을 통해 극복할 수 있다. 스스로를 지키자! 나 스스로를 인정하고 세워줄 때 타인이 아닌 자신에게 인정을 받을 수 있을 것이다.

'종속의 덫'에 있는 사람은 타인과의 갈등을 두려워하여 자신을 등한시한다. 이러한 행위가 반복되면, 갈등이나 거부에 대한 두려움이 생겨나게 되고 자신의 욕구를 채우지 못해 불같이 화를 내기도 한다. 따라서 이들은 자신의 필요를 채울 권리가 있다는 것을 먼저 인식해야 한다. 나아가 불건전한 사람과 일정한 거리를 두거나 교제하지 않아야 한다.

종속은 독립을 통해 극복할 수 있다. 타인의 요구나 인정에 종속되기보다는 자기 내면의 목소리에 귀를 기울일 때 종속의 덫에서 벗어날 수 있다.

‘희생의 덫’에 있는 사람은 다른 사람에 앞서 자신의 필요를 채우는 데 죄책감을 느낀다. 하지만 자신의 필요와 욕구를 인식하고 이를 충족시키는 것은 죄가 아니다. 그들의 강점인 공감 능력을 자신의 필요 충족 행위와 균형을 맞추도록 해야 한다. 다른 사람보다 나 자신, 우리 가족을 우선시하고 관계의 균형을 찾기 위해 노력해야 한다.

희생은 기쁨을 통해 극복할 수 있다. 기쁨이 없는 희생은 진정한 베풂이 아니다. 나의 기쁨을 찾는 것, 그것이 희생의 덫에서 자유로워지는 길이다.

잘못되면 어쩌지?: 부정성의 덫

"나는 큰 문제를 일으킬 운명이다."

"모든 것이 필연적으로 잘못될 것이다."

"나에게 나쁜 일들이 일어날 것이다."

민혁은 결혼을 앞두고 이직을 결심했다. 회사에 사직서를 내고 새로운 직장을 알아보고 있지만 쉽지 않다. 그러다 보니 결혼 역시 망설여진다. 민혁에게 결혼은 직장과 돈이 있어야 할 수 있는 일이다. 당장 직장을 구할 수도 있다. 하지만 조금 더 좋은 곳으로 이직하기 위해 고르고 또 고르는 중이다. 그래야 예비 장인 장모가 자신을 더 인정할 테고, 결혼 이후에도 더 잘살 것 같다. 하지만 생각한 대로 일이 풀리지 않을 수도 있다. 좋은 직장을 구하지 못하면 결혼 자금도 충당하지 못할 것이고, 예비 장인 장모에게 결혼 승낙을 받기도 어려울 테니 말이다.

민혁은 구직 기간이 길어질수록 불안감에 휩싸인다. '모든 것이 뜻대로 되지 않을 것' 같은 생각이 자꾸만 솟아난다. 결혼도 물거품이 될 것 같아 불안하기는 매한가지다. 예비 신부는 해보지도 않고 늘 부정적인 말만 하는 민혁이 답답하기만 하다.

민혁의 어머니는 항상 부정적이었다. 어머니의 부정적인 성격은 늘 부부 싸움으로 이어졌다. 민혁의 어머니는 모든 일에 단 한 번도 '좋아'라고 답한 적이 없다. 어머니의 부정적인 사고를 어렸을 때부터 학습한 탓일까. 민혁은 "저도 무언가를 할 때 한 번에 잘된 적이 없다"고 말한다. "잘되려나 싶다가도 항상 일이 틀어진다"는 것이다. 요즘 민혁은 고민에 빠졌다. 자신이 지나치게 부정적인 것은 아닌지, 부정적인 성격 탓에 예비 신부가 자신을 떠나는 것은 아닌지 걱정된다. 그러니 밤잠을 설치는 일이 점점 많다.

부정성의 덫에 걸린 사람들

부정성 영역은 4가지 삶의 덫 즉, 부정성, 억압, 경쟁, 죄의식이다.

'부정성의 덫'을 가진 사람은 우울하다. 이들은 보고, 경험하는 모든 것을 부정적으로 인식한다. 이들에게 물이 반쯤 담긴 컵은 '반이 차 있는 것'이 아니라 '반이 비어' 있는 것이다. 이들은 실수하는 것을 싫어하고, 혹시 실수로 야기될지도 모르는 결과를 두려워한다. 후회보다는 안전함을 추구하고, 위험에 노출될 확률이 거의 없는 길을 선택한다. 일반적으로 그들의 부정성은 정확하지 않고 심하게 과장되어 있기도 하다.

다른 사람의 눈에 '억압의 덫'을 가진 사람은 감정이 없는 사람처럼 보이기도 한다. 억압의 덫에 물린 사람은 이성적인 것을 최고의 기질로 꼽고, 이에 따라 행동하기 때문이다. 이들은 자의적이거나 시끄러운 것을 싫어하며 그런 행동은 예의 없거나 부적절하다고 인식한다. 이들 중 일부는 감정은 조절되어야 하며 남에게 보이면 안 되는 것으로 여기기도 한다. 이들은 친밀감은 적정선에서 유지해야 하며, 타인과 친해지는 방법을 알지 못하거나 마음으로 감정을 나누는 일을 주저하기도 한다. 나아가 다른 사람에게 보인 진심이 수치심으로 돌아올 수 있다는 두려움을 가지기도 한다.

'경쟁의 덫'에 물린 사람은 '최고가 아니면 받아들이기 어려운 사람'이라고 할 수 있다. 엄격한 기준의 덫을 가진 사람은 현재 자신의 삶에 만족하지 않으며, 끊임없이 자신을 몰아세우는 경향이 있다. 이 덫은 결함의 덫과도 깊은 관련이 있다. 엄격한 기준의 덫에 걸린 사람은 스스로 적절한 기준을 만들고 그 기준에 도달하지 못하는 사람을 비난한다. 배우자가 하는 작은 실수에도 가혹하며, 자신이 만든 규칙을 아이들에게 강요한다. 실수하는 누구에게든 자비는 없고, 자신의 기대에 부응하지 못하는 사람은 무시한다. 이들은 아주 사소한 문제로 타인에게 혹평을 가하기도 하며, 자기 자신을 강하게 몰아대 죄책감을 느끼기도 한다.

'죄의식의 덫'을 가진 사람은 실수하는 사람이 자신이든 다른 사람이든 은혜와 자비를 베풀지 않으며 쉽게 용서하지 못한다. 도리어 실수를 처벌받아야 할 범죄로 취급하는 모습을 보이기도 한다. 죄의식의 덫에 걸린 사람은 흑백논리에 강하다 보니 정의 즉, 옳고

부정성 영역

덫	반복되는 패턴	어린 시절 경험	핵심 메시지
부정성	•주변에서 반드시 나쁜 일이 일어날 것이라고 생각한다. •항상 실수와 결과를 두려워한다. •후회하지 않기 위해 안전한 길만 선택한다.	•부정적인 그림을 그리는 부모 밑에서 자랐다. •부모가 고생을 많이 하면서 어떻게든 벗어나려고 노력하는 모습을 보고 자랐다.	•"나는 큰 문제를 일으킬, 중요한 실수를 할 운명이다. 모든 것이 필연적으로 잘못될 것이다. 나쁜 일들이 나에게 일어날 것이다."
억압	•항상 평정심을 잃지 않으려 한다. •무감정하고 과도할 정도로 이성적이다. •울거나 큰 소리를 내는 것을 경멸한다.	•어려서 감정을 표현하는 것에 대해 야단을 맞았다. •"~하면 안 돼"라는 말을 늘 들으면서 자랐다.	•"나는 자신을 드러내거나 감정을 표현해서는 안 된다. 항상 평정심을 유지해야 한다."
경쟁	•성공, 외모, 지위에 대한 강박 관념이 강하다. •최고와 완벽에 이르기 위해 지나치게 노력한다.	•부모가 높은 기대와 기준을 제시하였다. •부모의 인정과 사랑이 항상 성공과 성취와 관련된다.	•"나는 항상 유능해야 한다. 아주 높은 기준에 맞추기 위해 열심히 노력하지 않으면 비난받을 것이다. 휴식할 시간이 없다."
죄의식	•실수하면 마땅히 벌을 받아야 한다고 생각한다. •평생 완벽함을 추구한다. •자비는 나약한 사람의 행위라고 생각한다.	•부모가 여러 일에 대해 비난, 비평, 불평이 많다. •실수하면 벌을 주는 엄한 학교에 다녔다. •용서를 허락하지 않는 가정 분위기	•"나는 끊임없이 완벽함을 추구한다. 실수하는 것은 좋지 않다. 실수하면 마땅히 벌을 받아야 한다. 이것은 모든 사람에게 똑같이 적용해야 한다."

그름을 매우 중요하게 여긴다. 누구든지 실수를 하면 비난받아야 마땅하고, 자비를 베푸는 사람을 나약한 사람이라고 생각한다. 간혹 처벌의 덫에 빠진 사람 중에는 자신이 예전에 저지른 실수에 대해 스스로 처벌을 가하며 자신을 용서하지 않기도 한다. 이들 중에는 남에게는 가혹하고 자신에게는 관대한 사람도 있다. 이들은 자신의 처벌에 정의를 구현하고 공정을 추구한다는 가면을 씌우기도 한다.

부정성의 늪

'부정성의 덫'에 걸린 사람은 매사에 부정적이고 비관적이다. 항상 나쁜 일이 일어날 것이라 굳게 믿고 손해를 보거나 수치를 당할까 봐 두려워한다. 안전함을 추구하고, 위험에 노출될 확률이 거의 없는 대안을 선택하는 것으로 자신의 불안을 잠재우려 한다.

이들의 어린 시절을 살펴보면 부모가 매사에 부정적이었던 사람이 대다수다. 어렸을 때 부정적인 사건이나 경험에 노출된 경우도 많다. 이런 환경에서 어린 시절을 보내 세상에 대해 두려움과 불신, 거부 등 부정적 인식을 굳힌 이들도 존재한다. 이들은 모든 일을 부정적으로 생각하고 걱정과 불안, 두려움에 굴복하며 비관적인 생각에 사로잡혀 있다. 긍정적인 것은 무시하고 실수를 재앙으로 받아들인다. 이러한 태도는 더 큰 부정적인 생각을 하게 만든다. 부정적인 생각과 행동이 계속될 경우, 가족을 비롯한 주변 사람들은 점점 지쳐가다 보니 부정성의 덫에 빠진 사람을 포기한다. 결국, 이들은 부정성의 늪에서 헤어 나오지 못하게 되는 것이다. 특히 부정성의 상태에서는 충족감을 느낄 수 없다는 것도 문제 중 하나이다. 감정 조절이 어려워 음주나 약물, 도박 등 회피성 행위에 집중하게 된다.

억압이나 경쟁, 죄의식에 사로잡힌 사람들도 부정성이 그들의 삶을 무겁게 억누르고 있다. 현재 상황에 만족하지 못하니 늘 자신을 막다른 길로 내모는가 하면, 실수하는 사람에게는 자비나 용서를 베풀지 않는다. 흑백논리에 강하고 옳고 그름을 중요하게 여겨

극단적인 성향을 보이기도 한다. 게다가 타인이 자신의 기대에 부응하지 못하면 무시한다. 성공이나 지위, 명예, 외모 등에 대한 강박 관념이 강해 항상 최고를 위해 과도하게 노력하는 모습을 보이기도 한다.

행복의 문 하나가 닫히면 다른 문이 열린다

'부정성의 덫'이 있는 사람은 수치심, 좌절감, 두려움을 피하고 싶어 한다. 어떠한 위험도 감수하려 하지 않는다. 따라서 실수를 해도 괜찮다는 인식을 해야 한다. 실수도 삶의 한 부분이라는 것을 인식하는 것이다.

부정성은 꼬리에 꼬리를 물고 지속되며 악순환의 고리를 만든다. 이제는 그 악순환의 고리를 스스로 끊는 연습을 해야 한다. 실수, 실패, 좌절을 통해 더욱 성숙하고 깊은 사람이 될 수 있다는 것을 스스로 인지하고 실천해야 한다. 부정성은 초월을 통해 극복할 수 있다. 실패나 좌절은 초월할 수 있는 것이다. 굴레나 늪이 아니라는 말이다. "실수해도 괜찮다", "실패해도 일어설 수 있다"는 긍정적인 사고가 부정성의 덫에서 헤어 나오는 길이 될 것이다.

'억압의 덫'에 있는 사람은 솔직하게 감정을 표현하는 일이 어색하고 낯설다. 따라서 감정 표현이 나 자신을 생기 있게 만든다는 것을 스스로 인지해야 한다. 화를 자주 내는 사람이 오래 산다는 연구 결과가 있다. 자기감정을 솔직하게 드러내는 것이 삶을 좀 더 풍요롭게 만들 수 있다는 것이다. 억압은 자유를 통해 극복된다.

스스로에게 자유를 허락할 때 억압의 덫은 사라질 것이다.

'경쟁의 덫'이 있는 사람은 정상인 자신에 비해 타인이 게으르고 무능력하다고 생각하여 비난한다. 이들이 내세운 가혹한 기준은 결국 스스로를 지치게 하는 것은 물론 대인 관계에서도 부정적 영향을 끼친다는 것을 인식해야 한다.

내 기준에 미치지 못한다고 해서 나와 세상이 무너지지 않는다. 이 사실을 인지해야 한다. 있는 그대로를 받아들이고 마음을 내려놓는 연습을 하자! 엄격한 기준은 이완을 통해 극복할 수 있다. 마음의 긴장을 풀고 기준을 낮춘다면 어느새 덫에서 빠져나온 자신을 볼 수 있을 것이다.

'죄의식의 덫'에 있는 사람은 실수에 대한 대가를 반드시 치러야 한다고 생각한다. 이들에게 가장 필요한 것은 은혜와 용서에 대한 이해이다. 건강한 관계를 유지하려면 용서의 혜택을 인식해야 한다. 윤택한 관계를 맺으려면 처벌이 아닌 은혜와 용서가 필요함을 받아들여야 한다. 다른 사람의 자비와 배려에 감사하며 자신도 타인에게 똑같이 배려하고 이해를 베풀 수 있도록 노력해야 한다. 죄의식은 자발성을 통해 극복할 수 있다. 내가 먼저 손을 내밀 때 관계는 회복할 수 있을 것이며 죄의식의 덫 역시 사라질 것이다.

마음의 덫에서 벗어나기:
치유 심리학

"나는 대체 왜 이럴까?"

"나는 대체 어떤 덫에 걸린 것일까?"

삶의 덫은 매우 강력한 힘을 가지고 있다. 그래서 왜곡과 오해, 미움과 반목, 시기와 질투, 싸움과 고립 등을 유발하기도 한다. 삶의 덫은 어린 시절부터 늘 자신과 함께하고 있어서 자연스럽고 익숙하다. 우리는 유년기 동안 덫에 반응하는 방식을 계발하고, 이 대응 방식은 성인기까지 이어진다.

그렇다고 좌절하지는 말자. 우리는 누구나 한두 개의 덫에 걸린 채 살아가고 있다. 아마도 앞서 살펴본 삶의 덫 중 자신이 해당하는 덫이 한두 개쯤은 분명 있을 것이다. '혹시 나만 이런 덫에 걸렸나?', '내가 문제가 있는 건가?'라고 걱정하지 말기를 바란다.

누구나 삶의 덫에 걸린다. 이는 특별할 것도 없고 걱정할 것도 없다는 이야기다. 물론 덫은 그 정도에 따라 삶에 약간의 불편함을 주기도 하고, 심각한 영향을 끼치기도 한다. 일이 풀리지 않거나 심하게 화가 날 때, 이유 없이 짜증이 나거나 왠지 조급할 때, 자신이 어떤 덫에 걸렸는지 한 번쯤 되돌아보기를 바란다.

내 마음 들여다보기

우리는 건강하지 않은 행동을 자각하는 순간, '덫'으로부터 벗어날 수 있다.

제프리 영은 삶의 덫을 중심으로 한 심리치료(인지치료)를 개발했다. 심리치료는 대화를 통해 마음의 병을 치료하는 방법으로, 프로이트의 정신분석에서 발전된 치료 양식이다. '삶의 덫 중심 심리치료'는 덫에 대한 이해와 통찰, 자각에서 출발한다.

자각하는 순간 우리는 변화할 수 있다. 그러니 이제는 우리에게 씌워진 삶의 덫을 자각해보자.

* 현재 삶에서 원치 않는데도 계속 반복되는 행동과 태도(패턴)에 주목한다.
* 어린 시절을 보낸 가정환경과 부정적 감정 경험, 핵심 메시지를 살펴본다.
* 반복되는 패턴과 어린 시절에 겪은 경험 사이의 상호 연관성을 찾아본다.
* 현재 삶에서 건강하지 않은 감정을 들여다보고, 건강하지 않

은 대응 방식을 평가해본다.

*글로 한 번 적어본다.

*고통스럽더라도 신뢰할 만한 사람과 덫을 나누고, 대응 방식에 대한 조언을 구한다.

*자신의 덫을 약화시켜나간다. 스스로를 변화시킬 힘이 있음을 받아들인다.

삶의 덫 중심 심리치료를 효과적으로 하기 위해 매일 간단한 '삶의 덫 일기장'을 작성해보자. '삶의 덫 일기장'은 일이 잘 풀리지 않거나 매우 크게 화가 날 때, 이유 없이 짜증이 나거나 왠지 조급할 때, 작은 수첩에 바로 작성하는 것이다.

여기에는 날짜와 덫의 내용을 적은 후 어떤 덫에 걸렸는지, 트리거가 누구인지, 어떤 대응 방식을 사용했는지를 적음으로써 스스로의 상황을 객관적으로 점검한다.

심리치료는 역기능적인 생각과 행동을 일으키는 부정적인 자기개념을 분석하고 이를 해결하는 것을 목표로 한다. 바로 내 마음을 자세히 들여다보는 것이다. 그것이 '삶의 덫 일기장'의 목표이며 심리치료의 시작이다.

삶의 덫은 태어났을 때부터 저절로 생겨나는 것이 아니다. 유전적·기질적인 것도 영향을 끼치겠지만, 부모를 비롯한 가족이나 주변 환경에 의해 학습되고 자신의 선택 및 결과에 의해 형성되는 것이다. 삶의 덫에서 빠져나오기 위한 첫걸음은 무엇일까. 바로 자신의 어린 시절을 이해하는 것이다. 왜 자신의 어린 시절을 이해해야

삶의 덫 일기장

날짜	트리거	덫	덫의 내용	대응 방식
8/13	사장님	결함	공개적 비판	반격
8/21	아내	불신	작은 의심	회피

할까. 덫이 생긴 원인을 파악하고 분석하기 위한 것이다. 자신의 상처는 자신을 이해하는 것에서 시작된다.

자신의 마음을 가만히 들여다본다면 '내가 어떤 상황에서 자극받는지'를 알 수 있다. 삶의 덫으로 반복되는 악순환의 고리가 결코 '나 혼자만의 문제' 때문에 생기는 것이 아니라는 것을 인지할 수 있다. 물론 '주변의 탓'만으로 일어나는 일도 아니다.

고집멸도(苦集滅道)라는 말이 있다. '모든 삶의 고통은 집착에서 오니 집착을 없애면 도(道)에 이른다'는 뜻이다. 삶의 덫은 고통을 가져오는 집착이다. 이 집착에서 벗어나려면 어떻게 해야 할까. 반드시 용기와 결단, 수용이 전제되어야 한다. 관계 안에서의 포용은 물론 나 자신을 용서하고 나 자신과 화해해야 한다. 이제 스스로에게 이렇게 말해보자.

"부족하지만 그런 나를 받아들이고 깊이 사랑합니다. 마음의 평화를 선택하겠습니다."

어느 시골 버스에 남루한 행색을 한 노인이 커다란 짐을 가지고 탔다. 노인은 짐을 버스 앞좌석에 부려놓더니 맨 뒤쪽 좌석에 앉아 콧노래를 불렀다. 하지만 노인의 짐 부피가 크다 보니 버스 뒤쪽이 보이지 않자 버스 운전사는 짜증이 났다. 큰 소리로 짐을 치워달라고 부탁했지만, 노인은 노래만 계속 흥얼거렸다. 화가 난 운전사는 다음 정거장에서 노인의 짐을 길에 버리고 버스를 출발시켰다. 이 광경을 지켜보던 버스에 탄 승객들은 불안했다. 운전사와 노인 간에 큰 싸움이 곧 벌어질 것만 같았기 때문이다. 하지만 노인은 화를 내기는커녕 아무런 불평도 하지 않고 계속 콧노래를 흥얼거렸다. 당황한 운전사가 노인을 돌아봤을 때 노인은 이렇게 말했다.

"그건 내 짐이 아니오."

사람은 힘들고 어려운 상황이 닥치면 본능적으로 자신의 위치와 입장에서 생각하고 판단한다. 하지만 자기 자신을 보호하기 위한 이러한 행동은 자칫하면 타인의 오해를 불러일으킬 수도 있고, 상황을 악화시킬 수도 있다. 어려운 상황일수록 감정을 추스르고 상황을 객관적으로 바라보는 것이 중요하다.

노인은 자기 짐을 버스 운전사가 던져버렸지만 화내지 않았다. 짐이 버려지는 그 순간에도 노인이 콧노래를 부를 수 있었던 이유는 무얼까? 바로 '짐을 떨쳐버렸기 때문'이다. 짐에 집착하지 않았기에 평정심을 유지하고 화내지 않을 수 있었다. 조금은 극단적인 상황이지만, 우리는 노인과 같은 상황에서 과연 평정심을 유지할 수 있을까? 아마도 쉽지는 않을 것이다. 하지만 최대한 감정을 추스르는 것, 객관적으로 현실을 직시하는 것, 지금 우리에게 필요한 덕목이 아닐까 싶다.

자신이 만족하지 못하는 관계는 불편하고 어색할 수 있다. 이런 관계는 어떤 사람에게는 고통을 안겨주기도 한다. 이때 많은 사람은 관계를 직면하기보다 회피하는 것으로 자신을 보호한다. 하지만 우리가 삶의 덫에서 벗어나려면 불편하고 어색한 관계일수록 적극 대응해야 한다. 물론 쉽지 않다. 많은 에너지가 필요할 것이다. 하지만 이를 극복하는 편이 남은 인생을 편하고 만족스럽게 누릴 수 있는 가장 정확하고 빠른 방법이다.

혼자서 덫에서 빠져나오기 어렵다면 주위에 도움의 손길을 용기를 내어 내미는 것을 추천한다. 아무리 주위에서 도와주려고 해도 자신의 의지가 나약하다면 결코 변화를 이끌어낼 수 없다.

나 자신을 믿어라!

긍정적인 상상과 이를 현실로 만들어가려는 원동력을 가져야 한다. 그것은 결코 지나친 상상이 아니며 만족스러운 현실로 돌아올 것이다.

마지막으로 용서하라!

나를 힘들게 만든, 내게 상처를 준 그 사람들을 용서해야 한다. 나에게 칼날을 내민 사람을 용서하기란 결코 쉬운 일이 아니다. 하지만 그들에게 똑같이 상처를 주고 복수를 한다면 어떤 일이 벌어질까? 더 큰 후회와 자기 모멸감으로 괴로움에 빠질 수밖에 없다. 나의 마음을 찬찬히 돌아보고, 상대에게 서서히 다가가기 위한 용기를 내는 것은 어떨까. 생각보다 마음이 훨씬 가벼워진 것을 느낄 수 있을 것이다.

짓눌린 마음:
스트레스

뉴욕 세인트메리병원 스트레스 클리닉에서는 독특한 스트레스 진단법을 사용한다.

이 병원에서는 처음 찾아온 고객에게 '바다 위로 솟아오르는 2마리의 돌고래' 그림을 보여준다. 첫 번째 돌고래는 보통의 돌고래다. 두 번째 돌고래는 큰 귀와 네 다리, 꼬리가 있는 황소를 닮은 변종 돌고래다. 의사가 고객에게 질문한다.

"두 돌고래의 차이점은 무얼까요?"

이 그림을 보고 3개 이상의 생각이 한 번에 떠올랐다면, 지금 당신은 상당한 스트레스를 받고 있는 것이다. 생각이 많다는 것은 그만큼 스트레스가 많다는 뜻이다. 그냥 돌고래 이상의 아무런 생각이 떠오르지 않는다면 당신은 정말 편안한 상태라고 할 수 있다.

출처: www.google.co.kr

오늘날 스트레스는 일상어가 되었다. 우리나라 사람들이 자주 사용하는 외래어 중 1위가 스트레스라는 보도도 있었다. 많은 사람이 '스트레스를 없애고 싶다'든지, '스트레스를 극복하는 방법을 배우고 싶다'고 하지만, 정작 스트레스를 정의 내리는 데는 어려움을 느낀다. 그렇다면 스트레스는 무엇일까?

스트레스는 라틴어 Stringer 즉, '팽팽하게 조인다'는 뜻에서 유래한 말이다. 한스 셀리는 스트레스를 '만병의 근원', '조용한 살인자'란 뜻으로 해석했다. 그만큼 위험하고 치명적이라는 것이다. 모든 질병에서 스트레스가 차지하는 비중 역시 꾸준히 증가해왔다. 1930년대에는 30% 정도였던 비중이 1940년대 40%, 1960년대 60%로 기하급수적으로 증가하였다. 급기야 1990년대에 들어서는 질병의 원인 중 90% 이상이 스트레스로 인한 것이었다.

현대인의 모든 스트레스는 노이로제에서 온다

인간은 삶의 목표와 의미가 없을 때 엄청난 스트레스를 받는다. 빅터 프랭클은 매일 훌륭한 정신과 의사로 일하는 자신의 모습을 상상하며 아우슈비츠 수용소에서 겪는 엄청난 스트레스를 이겨냈다. 결국, 아우슈비츠 수용소에서 살아남은 프랭클은 '의미치료'의 창시자가 되었다.

부정적 감정은 스트레스의 원인이다. 심리학자들이 통용하는 부정적 감정만 무려 50여 개가 넘는다. 대표적인 부정적 감정은 우울, 불안, 공포, 강박이다. 하지만 인간은 완성을 통해 커다란 성취감을 획득한다. 성취감은 어떠한 스트레스도 잡아먹는 공룡으로, 성취감이 커질수록 우리는 황홀감을 경험하게 된다. 어쩌면 '인간이란 성취감을 먹고 살아가는 동물'이라고 할 수 있을 것이다.

불교에 '일체유심조(一切唯心造)'라는 말이 있다. '모든 것은 내가 만드는 것'이라는 뜻이다. 세상도 내가 만든 것이고, 나도 내가 만든 것이다.

"한마음 밝게 먹으면 밝은 세상이 열리고 한마음 어둡게 먹으면 어두운 세상이 열린다."

법정 스님의 이 가르침은 스트레스의 늪에 빠진 현대인에게 깊은 깨우침을 준다. 마음먹기에 따라 삶이 밝아질 수도 어두워질 수도 있다는 것이다.

욕구 불만, 배우자의 잔소리, 능력 부족, 교통 체증, 주차 위반 딱지, 궂은 날씨, 과도한 책임, 국회의원 선거, 치통, 장대비, 스팸 메일, 9·11테러까지 일상에서 느껴야 하는 스트레스는 셀 수 없다. 하지만 이러한 스트레스도 우리의 마음먹기에 따라 달라지지 않을까?

당신에게 스트레스는 어떤 존재인가?

스트레스 연구의 선구자 한스 셀리는 1976년 중요한 논문을 발표했다. 셀리는 '스트레스(stress)'라는 단어를 최초로 사용한 의사다. 한스 셀리가 밝혀낸 사실은 "유기체는 스트레스 원인이 무엇이든 동일한 스트레스 반응을 보인다"는 것이다. 입구는 무수히 많지만, 출구는 하나라는 것이다.

셀리는 이런 스트레스 반응을 일반적응증후군(GAS)이라 명명했다. 이 반응은 산속에서 호랑이를 만났을 때, 실적 저하로 상사로부터 비난을 받았을 때, 예금 통장이 비었을 때 일어난다고 했다.

스트레스는 좋은 스트레스(eustress)와 나쁜 스트레스(distress)로 나눌 수 있다. 적절히 대응하여 자신의 삶이 더 나아질 수 있는 스트레스는 좋은 스트레스이다. 대처나 적응에도 불구하고 지속되는 스트레스는 불안이나 우울 등의 증상을 일으킬 수 있는 나쁜 스트레스이다.

심리학자 라자루스는 스트레스 요인에 대한 인지적 평가에 따라 좋은 스트레스로 작용하느냐, 나쁜 스트레스로 작용하느냐가 달라질 수 있다고 보았다. 헤어날 수 없는 스트레스 상황을 부정적으로 받아들이면 우울증을 유발할 수 있으나, 스트레스 상황을 긍정적으로 받아들이면 사람에 따라 행복해질 수 있다는 것이다.

당신은 스트레스를 어떻게 받아들이고 있는가. 분노와 적대감으로 경계심을 세우고 있는지, 느긋하고 여유롭게 스트레스를 바라보는지, 그저 참고 있지는 않은지, 그것도 아니면 스트레스와 질병과 대립해 싸우는지 궁금하다. 스트레스를 받아들이는 당신의 성격은 어떤 유형인가.

스트레스에서 벗어나기

"자, 그럼 어떻게 하면 성공적으로 스트레스에서 벗어날 수 있을까?"

탈스트레스를 위한 '스트레스 해소 게임'이란 것이 있다. 게임의 내용은 두드려 패기, 못된 여자 때리기, 남자 친구 걷어차기, 바탕화면 부수기, 자동차 부수기, 로봇 때리기, 원숭이 날리기, 아빠와 격투하기, 사장에게 복수하기, 기분 좋아지기 등이다. 대부분 공격성, 분노, 적대감, 우울을 해소하는 내용이다. 스트레스의 원인인 '부정적 감정'을 해소(카타르시스)하는 게임이다. 그렇다면 과연 카타르시스를 넘어서는 탈스트레스 방법은 없을까?

인간의 쾌감은 2가지 정반대 의식 상태에서 온다. 하나는 최고의 각성 상태이고, 다른 하나는 최고의 안정 상태다. 대부분의 현대인은 강력하지는 않지만, 법적으로 허용된 각성제와 마약을 상용하고 있다. 커피와 담배는 허용된 각성제이며, 술과 진정제는 허용된 마약이다. 술과 담배, 커피는 탈스트레스 기호품으로, 현대인들은 술과 담배와 커피를 통해 스트레스를 해소하며 살아간다. 하지만 이러한 탈스트레스 기호품으로 우리의 의식을 변화시키는 일은 무리다.

사람 뇌파에는 4가지가 있다. 최고 경지에 도달했을 때 나타나는 '활짝 깬 의식 상태(Awakened Mind)'에서는 4가지 뇌파가 비슷한 비율로 상호 관계한다. 4가지 뇌파가 조화와 균형이 잘 이루어져 통합되어 나타나는 것이다. 이때의 모습은 마치 사람이 팔을 벌리고 있는 모양과 비슷하다.

4가지 뇌파는 머리(베타), 벌린 양팔(알파), 엉덩이(세타), 다리(델타)로, '활짝 깬 의식 상태'는 보통 우리가 겪는 각성 상태(깬 의식 상태)와는 다르다. 각성 상태는 베타파가 높은 상태로 정신이 또렷한 상

4가지 형태의 뇌파

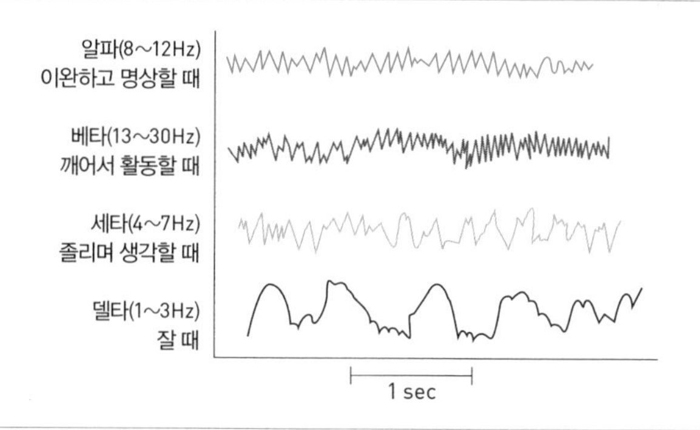

출처: Tortora & Grabowski(1996)

태라고 할 수 없다. 이때의 의식은 많은 생각이 뒤섞여 잡념으로 진행되고 긴장과 불안감을 동반한다.

'활짝 깬 의식 상태'는 다르다. '활짝 깬 의식 상태'에서는 창조적인 영감과 영적인 깨달음을 얻을 수 있으며, 고요한 상태에서 의식적이고 이성적인 사고를 처리할 수 있도록 한다.

뇌파 명상 치료를 통한 스트레스 극복

'활짝 깬 의식 상태'는 명상을 통해서 도달할 수 있다. 명상은 마음과 몸을 안정시키는 데 도움이 된다.

명상은 종교적이며 철학적이고 실존적이다. 명상은 '인생은 처음이자 한 번이며 마지막으로 가는 길'이라는 깨달음에 기초한다. 인식론과 존재론의 시각을 반영한 것으로, 인식론은 '나는 누구인가?'라는 물음에서 출발하며, 존재론은 '만물은 평등하다'는 관점에서 출발한다.

인류학자 카를로스 카스타네다의 스승이던 돈 후앙은 이렇게 말했다.

"우리가 혼잣말로 중얼거리는 것을 멈추면 이 세상은 틀림없이 진면목을 드러낸다."

명상이란 마음속에 끊임없이 중얼거리는 세상을 멈추는 것(Stop the World)이라 할 수 있다.

명상은 크게 둘로 나눌 수 있다. 바로 집중 명상과 각성 명상이다. 다른 말로 하면 닫힌 명상과 열린 명상이다. 불교에서는 집중 명상을 사마타, 각성 명상은 비파사나 또는 프라나라고 부른다. 집중 명상은 삼매경이나 절정에 도달하고, 각성 명상은 사토리 또는 깨달음에 도달하는 것이다. 탄트라의 경지다. 집중 명상은 한 점만 강렬하게 응시하는 것이고, 각성 명상은 가능한 많은 점을 응시하는 방법이다.

집중 명상을 한번 해보자. 한 대상 즉, 촛불에 집중하여 나와 촛불을 동일시하는 것이다. 내가 촛불이고 촛불이 나인 경지로 들어서는 것이다. 바로 주체와 객체가 하나 되는 합일의 지경으로 들어가는 것을 뜻한다. 이때 느끼는 것이 삼매경, 절정 경험의 순간이다.

각성 명상은 밤하늘의 모든 별에 초점을 맞추는 것이다. 고요하고 침착한 상태로 몰입하여 우주 전체가 나에게 스며드는 느낌을 가지게 된다. 내가 우주가 되고 우주가 내가 되는 합일의 지경으로 들어가는 것이다. 사토리 또는 해탈의 경지에 들어간 것이다.

'활짝 깬 의식 상태'는 뇌파 명상 치료를 통해서도 가능하다. 뇌파를 훈련하고 뇌세포의 활동을 조절하여 두뇌를 훈련시키는 것이다. 이를 뉴로피드백이라 한다. 뉴로피드백은 머리를 맑게 하는 것은 물론 마음을 평화롭게 하며 모든 집착에서 벗어날 수 있도록 도움을 준다. 부정적인 감정인 우울, 불안, 공포, 강박을 해결해주는 것이다.

뇌파 명상 치료는 '활짝 깬 의식 상태'를 목표로, 조작적 조건화를 통해 필요한 뇌파를 발생시키고 불필요한 뇌파를 억제시킨다. 뇌 기능을 안정화시켜 스트레스를 몰아내고 질병을 치료하는 것이다.

뇌파 명상 치료는 보통 2가지 훈련으로 진행한다. 눈을 뜨고 하는 훈련은 베타파 트레이닝으로 일상생활에서 편안한 심리 상태를 유도한다. 눈을 감고 하는 훈련은 세타파 트레이닝으로 깊은 명상 상태로 유도한다. 눈을 뜨고 하는 훈련은 집중 명상이라고 할 수 있고, 눈을 감고 하는 훈련을 각성 명상이라고 할 수 있다.

상처받은 마음과 뇌:
두뇌 다스리기

오늘날 해부학과 외과학, 영상의학의 발전으로 뇌 구조에 대한 연구가 상당히 진행되었다. 하지만 뇌의 생화학적, 생리학적, 전기적 현상을 동반하는 뇌 기능에 대해서는 알려진 바가 적다.

인간의 뇌는 아주 복잡하면서도 단순하다. 약 1000억 개의 뇌세포는 수십조 개의 네트워크로 연결되어 있다. 뇌는 한순간 무지개의 아름다움에 경탄하다가도 곧바로 다음 순간 살인적인 분노로 치달을 수 있게 설계되어 있다. 뇌는 영혼의 하드웨어다. 뇌는 건강과 성격을 결정하며, 뇌가 올바로 작동하지 않으면 우리는 기본 생활조차 영위하기 어렵다.

우리는 보통 우울하고 불안하며 걱정이 많고, 두려움과 공포감이 찾아왔을 때 '마음에 문제가 있다'고 여긴다. 화를 쉽게 내고 주의가 산만하며 충동적이거나 중독적인 성향을 보일 때는 '심리적 문제'로 치부한다. 하지만 이 모든 것은 뇌 기능과 밀접한 관련이 있다. 즉 뇌가 잘못 작동해서 일어나는 현상들이다.

세계적인 뇌 기능 연구자 다니엘 에이멘 박사는 "왜 우리는 눈이 나쁜 사람에게 안경을 권하면서, 강박증이 있는 사람에게는 성격을 고치라고 하느냐?"고 말한다. 다니엘 에이멘은 《뷰티풀 브레인(Change Your Brain, Change Your Life)》을 통해 '정신질환은 단순한 성격장애가 아니라, 뇌의 생화학적·생리학적 차원에서 충분히 치유할 수 있는 증상'임을 주장하였다. 인간의 행동과 뇌의 영역을 통해 본래 자신의 뇌를 긍정적인 방향으로 변화시킬 수 있음을 밝혔다.

우리의 뇌는 안전한가

"나는 사람들이 비정상적인 행동을 보일 때 뇌를 검사하는 것이 필수라고 확신한다."

다니엘 에이멘은 뇌 기능의 이상이 우리 몸과 마음의 병을 유발한다고 말한다. 뇌 기능의 이상은 뇌의 생화학적 불균형, 다시 말해 신경전달물질의 불균형으로 설명된다. 신경전달물질의 균형이 깨지면 공황(공포), 불안, 우울, 강박(PADO) 등 다양한 정신질환을 일으키게 된다는 것이다.

뇌 구조는 그 어떤 것도 단독으로 존재하지 않고 서로 복잡하게 연결되어 있다. 한 구조에 미친 영향은 다른 구조에 영향을 주며, 이는 일정한 순서에 따라 진행된다. 뇌의 맨 앞에 있는 전전두엽은 집중하고 계획을 세우고 충동을 통제하며 결정을 내리는 뇌의 영역이다. 이 영역이 제대로 활성화되지 못하면 어떤 일이 벌어지겠는가. 자신을 통제하지 못하고 주의력, 집중력, 구조화, 실행 등에서 심각한 문제를 겪는다.

전전두엽은 이마 바로 밑에 있는 뇌로 가장 진화된 뇌다. 컴퓨터의 CPU에 해당하고 한 국가의 대통령, 한 기업의 CEO에 해당한다. 전전두엽의 기능은 기획센터, 통제센터, 동기센터, 자의식센터로 구분된다. 기획센터는 목표를 추구하며 계획, 집행, 선택, 판단, 결정한다. 통제센터는 장기 이익을 추구하고 감정 조절, 충동 조절을 관장한다. 동기센터는 목적(의미)을 추구하며 동기, 감정 지각을 담당한다. 자의식센터는 성찰을 추구하며 주의 집중, 반성, 자기 결정을 관장한다.

'전전두엽'에는 주로 도파민이 분비된다. 도파민이 부족하면 대표적인 운동 장애인 파킨슨병을 유발한다. 도파민이 과도하면 환청과 망상을 동반하는 정신분열을 유발하는 것으로 알려져 있다. 전전두엽의 주된 문제는 저활성화다. 이는 도파민의 감소와 연관된 것으로, 아이들에게 흔한 '주의산만'이라는 문제를 불러일으킨다. 주의력과 집중력이 떨어지고 판단력과 의사 결정 능력이 떨어지며, 충동 통제가 되지 않고, 기획과 조직화가 떨어져 학습장애가 일어나는 것이다. 나아가 동기 결여와 의미 상실, 공감 결여 등의 정서 문제도 나타나게 된다.

전전두엽이 과활성화되면 어떤 일이 벌어질까. 도파민이 증가하면서 나타나는 것으로, 이때는 극도의 쾌감을 동반하는 '광기와 중독' 형태를 보인다. 신체적 쾌감은 제한적이지만 정신적 쾌감에는 제한이 없다. 따라서 인간은 광기와 중독에 빠지기 쉬우면서도 반대로 무한한 정신력과 집중력, 창조력을 발휘하기도 한다.

'대상회'는 전두엽의 중간 부분을 종단으로 관통하는 뇌의 영역으로 '기어 장치'라고 부른다. 대상회는 한 생각에서 다른 생각으로 이동하고, 한 행동과 다른 행동 간의 주의집중을 도와주는 역할을 한다. 대상회는 주의 전환, 인지적 융통성, 사회 적응력, 대안 설정 능력 등의 기능을 한다. 대화의 흐름을 따라가고 서로 간에 협동하게 하며, 변화에 대응하고 미래 지향적인 사고를 하도록 하는 것이다.

대상회가 과잉 활성화되면 생각이나 행동이 꼬리에 꼬리를 물고 반복되는 패턴에 집착하게 된다. 걱정, 근심, 신경질, 짜증, 소심증이 나타나 과거의 상처에 집착하게 된다. 논쟁적이고 반항적이며 적대적인 행동을 하기도 한다. 집착과 강박은 중독으로 이어져 알코올중독, 약물중독, 섭식중독의 원인이 되기도 한다. 운전할 때만 생기는 분노, 무조건 '아니오'라고 말하는 습성, 건강에 대한 지나친 걱정, 과거에 대한 집착, 만성적 통증, 이성에 대한 지나친 집착(스토커) 등도 모두 대상회의 과활성화와 연관이 있다.

왜 우울할까?

뇌 중심부에 깊이 자리 잡고 있는 변연계는 정서와 유대 관계를 조절하는 센터다. 우리는 누구나 타인과 관계를 맺고 살아간다. 하지만 변연계의 기능이 좋지 않을 때 우리는 부정적인 정서로 고통받는다. 이는 대인 관계에서도 악영향을 끼치며 우리를 괴롭게 만든다.

'변연계'는 정서를 조절하고 정서적인 기억을 저장하는 역할을 한다. 유대 관계를 증진하며 식욕과 수면 주기를 조절하는 기능도 한다. 물론 성적 충동을 조절하는 기능도 있다. 변연계가 적절히 활성화되면 긍정적 정서와 자신감을 가지지만, 과활성화되면 부정적 정서와 우울 증상이 나타난다. 즉, 부정적 정서와 사고를 하게 되고 변덕과 짜증이 나게 된다. 목표와 동기를 상실할 수도 있고 성욕과 식욕 저하를 불러일으키기도 한다. 수면 주기에 문제가 생기고 고립과 소외, 유대감이 상실되면 대인 관계를 맺을 때 원만하지 못하게 하는 모습 등으로 발전하게 되는 것이다.

뇌 속 깊은 곳에 있는 기저핵(선조체)은 신체를 안정시키는 속도를 통제한다. 기저핵은 마치 럭비공처럼 생긴 회백질 덩어리로 몇 개의 서로 다른 구조물들이 합쳐져 있다. 기저핵은 기분과 사고 및 운동을 통합하고 불필요한 움직임을 억제한다. 기저핵은 우리의 동작이 부드럽고 정확하게 그리고 신속하게 이루어지도록 한다. 공포와 두려움을 느끼는 센서 역할을 하기도 한다. 쾌감을 조절하며 동기화를 조정한다. 하지만 기저핵이 과할성화되면 공포 반응이 일어나게 되니 조심해야 한다.

현대인은 학업, 결혼, 취직, 과도한 업무, 각종 질병, 대인 관계에서 갈등과 마찰을 빚고 있다. 우리는 이러한 각종 스트레스에 압도되어 불안, 공포, 공황에 사로잡힌다. 이때 생각과 행동이 순식간에 멈추고 나아가 공황장애를 일으키기도 한다. 틱이나 뚜렛장애 역시 기저핵이 활성화되면서 나타나는 증상이다.

'측두엽'은 뇌의 기억 창고로 주로 기억, 언어 이해, 안면 재인식, 기질 통제와 관련이 있다. 측두엽이 최적의 상태일 때는 마음의 평화를 느낀다. 그렇지 않을 때는 정서 불안과 감정 기복, 예측 불허의 사고와 행동으로 반응한다. 측두엽이 활성화되면 간질 발작, 시각적 변화, 비정상적인 감각 경험(신비 체험), 심한 행동장애, 이유 없는 두통이나 복통, 귀울림, 난독증, 기억상실증, 과도한 글쓰기 등의 정신질환을 겪게 된다.

건강한 뇌 만들기

보건복지부에 따르면 2011년 한 해 동안 정신질환을 경험한 사람은 우리나라 전체 인구의 16%에 이른다. 평생 1번 이상 정신질환에 걸릴 확률은 전체 인구의 30% 즉, 성인 10명 중 3명에 해당하며, 같은 해 10만 명의 사람이 자살을 시도하기도 했다. 우리나라가 경제협력개발기구 회원국 중 자살률 1위라는 것은 모두가 아는 사실이다.

누구나 정신적 상처는 받는다. 사랑하는 애인과 헤어지거나 바보 같은 행동으로 핀잔을 듣는 것도 어떤 사람에게는 정신적 상처가 될 수 있다. 아무리 노력해도 되지 않는 취업, 절망에 가까운 내 집 마련, 사회로부터 멀어지는 소외감, 일상생활에서 오는 끊임없는 스트레스도 정신질환으로 이어질 수 있다. 이러한 상처는 뇌 기능에 악영향을 끼치며 부정적 감정이 특정 사건에 대한 기억과 함께 저장되기도 한다. 긴장이나 스트레스는 수면장애와 불안증을 유발한다. 반복되는 불안은 공포증이나 공황장애로 발전한다. 지나친 걱정은 강박증을 일으키고 지나친 집착은 편집증을 유발하기도 한다. 절망이 안으로 향하면 우울증이 되고, 밖으로 향하면 분노로 표출되는 것이다. 만약 우울증을 치료하지 않고 방치한다면 극단적인 자살로 이어진다.

우리는 매스컴을 통해 유명 연예인, 사업가, 정치인 등이 자살했다는 소식을 자주 접한다. 대체 사람들은 왜 자살을 하는 것일까? 사회학자 에밀 뒤르껭은 공동체 의식이나 집합 의식이 사라진 집단에서 사람들은 우울증으로 자살을 선택한다고 말한다. 미모지상주의, 사회적 인정, 경제적 과시, 높은 교육열, 신분 상승, 삶의 질 등은 가정불화, 소외감, 우울증, 알코올중독 등의 정신질환과 매우 관련성이 높다. 오늘날 정신질환은 개인 문제를 넘어 사회 문제이며, 자살은 개인 선택을 넘어 사회적 선택이다. 현대인은 누구나 정신질환과 자살 등에 쉽게 노출되어 있다. 이제, 눈이 나쁜 사람에게 안경을 권하는 것처럼 여러 정신질환을 앓고 있는 사람에게 정신과 치료를 권해야 한다.

모든 정신질환은 반드시 뇌 기능의 이상을 동반한다. 뇌의 생화학적·생리학적 차원에서 정신질환 문제에 접근할 수 있으며, 신경전달물질의 균형을 통해서 회복할 수 있다.

오늘날에는 뇌 기능의 회복을 위한 다양한 치료법을 개발했다. 그중 약물치료가 가장 탁월하다. 한두 번의 약물 투약으로 뇌의 생화학적 상태, 신경전달물질의 불균형을 바로잡을 수 있다. 부정적이고 공격적인 상태, 충동적인 상태에서 벗어날 수 있다는 말이다. 약의 도움을 받는다고 모두 약물에 의존하는 것은 아니다. 장기적인 스트레스에 시달린다거나 불가항력적인 심한 정신적 외상, 사랑하던 사람과의 급작스런 이별, 마음대로 되지 않는 성격상의 좌절에 대해 약물 처방을 장기적으로 받는 것은 큰 문제가 되지 않는다. 약물 투약이 오히려 삶의 질을 더 좋아지게 할 수도 있다. 뇌 기능이 정상화되면서 우리는 정신 건강을 되찾을 수 있는 것이다.

II
상처가 불러온 것들

나는 지쳤어:
만성 피로

한 청년은 고생 끝에 유명한 도인을 찾을 수 있었다. 혼자 살고 있다는 도인의 집에 도착하고 보니, 다 쓰러져가는 초가집이었다. 청년은 문을 두드리고 잠시 기다렸다. 곧 문이 열렸고 남루한 옷을 입은 노인이 밖으로 걸어 나왔다.
당황한 청년은 이렇게 말문을 열었다.
"할아버지, 매우 피로해 보이십니다."
"피로하다는 것은 필시 정신적으로 총명하지 못함을 말하는데, 나는 돈이 없어 가난할지언정 피로하지는 않네."

우리나라는 국민소득 2만 달러를 훌쩍 넘어 선진국 대열에 진입했다. 하지만 우리의 삶은 진정 행복한지 고민해보아야 한다. 삶은 풍요로워졌지만, 밀려오는 업무와 넘치는 정보 속에 심각한 정신적 피로에 허덕이고 있다. 1970년대 가난했던 시절이 지금보다 오히려 활력이 넘쳤다.

'피로하다'는 것은 심신의 기능이 떨어진 상태를 가리킨다. 피로는 목숨과 건강을 유지하는 중요한 신호 가운데 하나이며, 신체적 피로와 정신적 피로로 나뉜다. 피로는 기억력과 집중력이 떨어지고 멍하고 졸린 형태로 우리에게 찾아오기도 하고, 근육통과 무력감, 오한을 동반하는 감기나 몸살로 신호를 보내기도 한다. 이러한 신호를 무시하면 만성 피로로 발전하게 된다.

피로는 대개 격한 운동이나 노동, 심한 스트레스, 과대 자극이나 과소 자극, 우울증과 권태의 결과로 온다. 탄수화물·단백질·지방 등의 영양이 불충분하거나 불균형해 피로가 올 수도 있다. 미네랄이나 비타민이 부족하거나 중금속 중독 같은 화학적 원인 또는 몸 안의 호르몬이 불균형을 이루어 우리 몸에 찾아올 수도 있다.

만성 피로는 유전적 원인, 산소 공급 부족, 거대 영양소(탄수화물·단백질·지방), 미세 영양소(비타민·미네랄), 호르몬 불균형, 효소 부족, 해독 작용 문제, 염증 반응과 질소 독성, 미토콘드리아(세포의 에너지 생성 공장)의 문제 등 9가지 원인에 의해 발생한다. 따라서 우리가 '지친다', '피곤하다', '피로하다'고 느낄 때는 이들 원인 중 어디서 문제가 발생했는지를 찾아봐야 한다.

물론 선천적으로 에너지를 생성하는 엔진이 부실할 수도 있다. 빈혈이나 알레르기 등으로 산소 공급이 원활하지 않을 수도 있다. 다이어트를 하고 있거나 지속적인 인스턴트 음식 섭취로 영양소가 부실할 수도 있다. 장기적인 스트레스로 스트레스 호르몬의 불균형, 갑상선(갑상샘) 호르몬이나 성호르몬의 불균형, 설사와 변비

등이 반복되는 장의 기능장애 등도 동반될 수 있다. 나아가 소화 효소가 결핍되거나 장내 유산균과 유익균의 불균형(dysbiosis)을 이루는 것도 피로로 생긴 결과다. 에너지 대사가 무너지고 세균이나 독성 물질에 대한 과잉 방어(자가 면역)로 생기는 심한 염증도 피로로 인한 결과라 할 수 있다.

스트레스가 쌓이면 부신(콩팥위샘)에서 분비되는 스트레스 호르몬의 균형이 깨진다. 대부분의 만성 피로 환자는 부신피질 호르몬의 불균형을 겪고 있다. 이로 인해 두통, 근육통, 불면증, 우울, 불안 등의 수많은 증세를 호소한다. 성호르몬의 불균형 역시 호르몬 기능의 문제에서 발생하는 것이다. 그렇다면 부신 피로를 해결할 수 있는 방법은 무엇일까.

스트레스는 어떻게 반응하나

'스트레스 반응'은 심리적으로 외부로부터 위협이나 도전을 받을 때 몸을 보호하기 위해서 일어나는 심신의 변화 과정이다. '일반적응증후군(GAS)'은 스트레스 반응같이 외부 자극에 대응하기 위해 체내에서 스스로를 변화시키는 작용이다. 스트레스 반응을 3단계로 나눠 설명하고 있다.

1단계 경계기는 생체가 스트레스(위험 상황)에 적극 저항하는 시기다. 보통 흥분과 긴장 반응이 나타나고 에너지가 상당히 생산되고 소모된다. 이 시기에 아드레날린과 코티졸(일명 코르티솔로, 부신피질에서 추출된 스테로이드 호르몬)이 모두 중요한 역할을 하게 되는데,

스트레스 반응

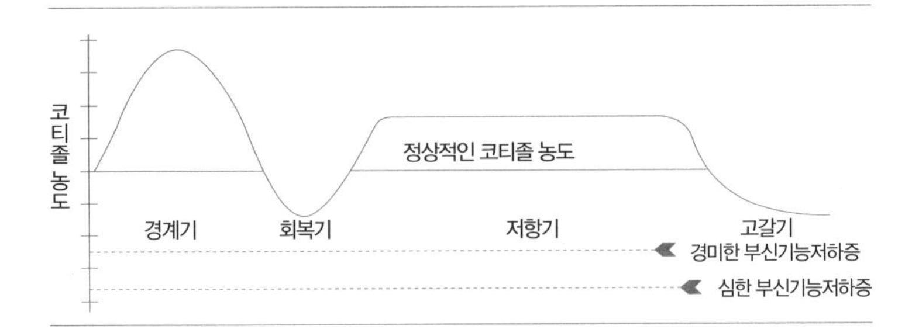

자동차로 비유하면 코티졸은 가속 페달에 해당하고 아드레날린은 변속기에 해당한다. 우리는 위험이 닥치면 변속기와 가속 페달을 모두 잘 활용해야 효율적이고 빠른 속도로 도망갈 수 있다. 하지만 스트레스를 받으면 아드레날린 분비가 급격하게 증가한다. 물론 심박동이 빨라지고 혈압이 상승하며 산소 섭취량도 증가한다. 근육으로 가는 혈류량 역시 올라가게 된다. 코티졸의 증가로 손발에 땀이 나고 근육이 수축된다. 나아가 에너지가 많이 필요하므로 저장된 글리코겐을 모두 당으로 전환하여 에너지를 최대한 생산하게 된다. 이러한 경계기가 지나면 일시적으로 회복되는 시기를 거친다. 보통 하루이틀 정도의 회복기를 거치지 않으면 저항기로 넘어가게 된다.

2단계는 저항기다. 경계기를 지나고도 계속 스트레스에 노출되면 저항기로 넘어간다. 저항기는 수개월에서 심지어는 15~20년 지속되는 경우도 있다. 경계기에 부신수질에서 분비되는 아드레날린이 주된 역할을 하였다면, 저항기에는 부신피질에서 분비되는 코티졸이 주된 방어 역할을 한다. 지속적인 스트레스를 이기려면 상당한 에너지를 써야 한다. 간과 근육에 축적된 글리코겐을 모두 소모했으니 근육의 단백질과 지방을 당으로 변환하여 에너지를 생성하게 되며, 염분을 축적하고 혈압을 상승시켜 혈액 순환을 증가시킨다. 이 과정을 통해 신체적이고 정신적으로 힘든 일을 수행하게 하고, 세균이나 바이러스의 감염과 싸우게 되는 것이다. 코티졸은 염증을 가라앉히고 저항하는 효능인 항염 작용이 강력한 호르몬이다. 저항기가 연장되면 고혈압이나 당뇨병 같은 대사증후군과 면역력이 저하되어 감기에 자주 걸리거나 암이 발생하기도 해 위험하다.

3단계는 고갈기다. 만성적인 스트레스로 부신이 더는 방어할 수 없는 상태로 떨어지는 것을 말한다. 이때가 되면 부신피질 호르몬이 바닥나게 된다. 당과 혈압은 일정하게 유지되지 못하여 저혈당 증상이 자주 발생한다. 무기력증을 동반하기도 한다. 고갈기에는 인슐린 기능이 저하되고 당뇨병을 유발할 수도 있다. 아주 심한 스트레스를 받으면 부신피질의 기능이 완전히 소실되어 극단적으로 죽기도 한다.

스트레스 호르몬 불균형

좌우의 콩팥 위에 있는 내분비샘인 부신의 기능이 정상일 때는 무난하게 스트레스를 이길 수 있다. 하지만 장기간의 스트레스에 노출되면 부신 기능이 떨어지게 되고 사소한 일에도 피곤을 느끼게 되며, 충분히 휴식을 취했는데도 피곤이 가시지 않는다. 바로 만성 피로가 나타나게 되는 것이다. 부신 기능에 문제가 생기면 다음 증상이 동반된다.

첫째, 스트레스 대처 능력과 에너지 생성 능력에 문제가 생긴다. 아침에 일어나기 쉽지 않으며 잠을 자도 개운하지 않다. 항상 기운이 없고 정신 집중을 하기 힘들다. 갑자기 어떤 일을 해야 할지 명확하게 떠오르지 않기도 하고, 스트레스를 받으면 혼돈 상태에 빠지며, 이유 없이 불안하고 만사가 귀찮아진다. 성욕이 이전보다 현저하게 감소한다.

둘째, 자율 신경의 기능 장애가 생긴다. 특별한 이유 없이 속이 울렁거리거나 토할 것 같고, 소화가 잘되지 않는다. 갑자기 앞이 캄캄해지거나 뿌옇게 보일 때가 있으며, 추위에 민감해지고 추위를 견디기 어렵다. 혈압 변화가 심하고, 일어나거나 누울 때 두통이나 어지럼증을 느끼게 된다. 저녁이 되면 발목이 붓거나 혀에 치아 자국이 난다. 이마나 얼굴, 목에 작고 검은 점들이 나타나고, 얼굴색이 나빠진다.

셋째, 전해질 균형 장애가 발생한다. 짭짤하고 달콤한 것을 먹고 싶을 때가 있으며, 오렌지 주스나 바나나를 먹으면 기분이 나빠진다.

넷째, 저혈당 증상이 나타난다. 참을성이 없어지고 화를 자주 내게 된다. 갑자기 힘이 빠지고 배고픔을 참기 어려우며, 자다가 자신도 모르게 손과 발을 자주 움직이게 된다.

다섯째, 면역 기능에 이상이 온다. 감기에 자주 걸리고 잘 낫지 않으며, 심한 스트레스를 받으면 큰 병이 나거나 드러눕는다. 목 주위

임파선(림프샘)이 자주 붓고, 이유 없이 관절이 아프거나 통증이 심해진다. 이전에 없던 음식 알레르기나 이유 없는 알레르기 반응이 자주 발생하며, 상처가 잘 생기거나 상처가 생겨도 잘 낫지 않는다.

부신 피로는 현대인에게 흔하게 나타날 수 있다. 의사, 경찰, 회사 중역, 펀드매니저, 법조인, 간호사, 목사 부인, 상담원 등에서 흔하다. 불규칙한 식생활 패턴도 부신 기능을 저하하기도 한다. 부신 피로를 겪는 현대인의 모습은 보통 이렇다.

우리가 맞닥뜨리는 현대인은 생기를 돋우는 호르몬인 코티졸이 부족해 배고픔을 느끼지 못하니 아침을 거르고 잠을 자도 개운하지 않다.

오전 10:00~11:00. 기운이 없어지고 컨디션이 나빠져 설탕커피를 자주 마신다. 설탕커피의 설탕이 저혈당을 없애주고 커피는 코티졸의 분비를 촉진시키므로 기분이 약간 전환되는 느낌을 받을 수 있다.

오전 12:00~1:00. 직장 동료들과 배고프지 않아도 점심을 하게 된다. 메뉴는 주로 밀가루 음식이다. 면 종류는 당 지수가 높아 인슐린 분비를 자극하게 되고 '반동성 저혈당'이 발생하게 되어 식후 식곤증을 심하게 느끼게 한다. 그러면 식곤증을 이기려고 또다시 설탕커피나 빵, 과자, 사탕 등에 손이 간다. 이것이 인슐린 분비를 다시 자극하고 연이은 저혈당이 코티졸의 요구량을 증가시킨다.

오후 3:00~4:00. 특별한 이유 없이 갑자기 기운이 빠지는 저혈당 증상이 나타난다. 그러면 또 이를 이기려고 커피나 초콜릿 등

단것을 찾는다. 담배를 피우기도 하는데 니코틴은 코티졸을 자극하게 된다.

오후 6:00~7:00. 대부분 약속이나 회식으로 과식한다. 물론 음주도 포함된다. 밤에는 에너지를 소비하는 호르몬이 감소되니 섭취한 에너지 대부분이 축적되어 내장비만의 원인이 된다.

저녁 식사 후에는 힘이 없다. 텔레비전을 시청하다 잠이 드는 것이 일반적이다. 밤 11시 이전에 잠을 청하지 않으면 새벽 1~2시까지 잠이 오지 않고 새벽에 간신히 잠자리에 든다. 역시 아침에 일어나기 쉽지 않은 생활의 악순환이 계속되는 것이다.

이러한 '롤러코스트 현상'은 부신 피로를 겪는 현대인에게 흔한 현상이다. '롤러코스트 현상'은 생활 중 저혈당 증상이 자주 오고 혈당을 높여주는 음식을 먹으면 잠깐 괜찮아졌다가 다시 저혈당 증상이 오는 것이다. 이러한 이유로 커피, 담배, 카페인 음료에 의지하게 되고 빵, 과자, 사탕, 달콤한 과일을 자주 찾게 된다. 이 같은 식생활 패턴은 부신호르몬을 과다하게 사용하도록 부채질하고 그 결과 '부신 피로'와 '부신 고갈'이라는 함정에 빠지게 된다.

만성 피로를 잡자

오늘날 현대인은 엄청난 스트레스에 노출되어 있다. 과거 못살던 시대에는 신체적 고통이 주된 스트레스였다. 각종 전염병과 영양실조, 열악한 환경에서 오는 것이 많았다. 그런데 현대에는 심리적·사회적 고통이 큰 스트레스다. 몸 고생보다 마음고생이 앞서는 시대가 온 것이다.

최근에는 감정 노동에 종사하는 사람들이 많아져 감정적 고통이 큰 이슈로 등장하고 있다. 특히 나의 감정과 상대에 의해 요구되는 감정의 차이로 인해 감정 부조화라는 극심한 스트레스에 시달리기도 한다. 이러한 감정적 고통은 우리 몸에서 정신 독(Mental Toxin)으로 작용한다. 정신 독은 인체의 가장 심각한 독이라 할 수 있다.

만성 피로를 불러일으키는 부신 피로를 치료하는 방법에는 식이 요법과 운동 요법, 영양 치료가 있다.

식이 요법은 육류, 생선, 달걀, 과일, 채소, 견과류, 씨앗류 등 원시 식단을 활용한다. 하지만 과일과 채소를 같이 먹는 것은 독소가 나올 수 있으므로 좋지 않다. 밥과 과일 또는 밥과 채소를 조화를 이루어 섭취하는 것이 좋다. 아침과 점심은 밥을 먹고, 저녁은 과일만 먹는 것도 좋은 방법이다.

좋은 음식과 올바른 식사법을 채택하는 것도 매우 중요하다. 음식은 골고루 먹고, 한 번에 100번 이상 씹어 소화가 잘되도록 해야 한다. 식단은 탄수화물과 식이섬유(채소·과일), 단백질과 지방을 3:4:2:1로 하는 것이 가장 바람직하다. 구체적으로 살펴보면 다음과 같다.

첫째, 물을 많이 마시는 것이다.

우리 몸은 70% 이상이 수분으로 이루어져 있고 물은 몸의 해독 작용과 에너지를 돌려주는 데 필수 요소이며 체온을 유지하는 데도 중요하다. 하루에 1.5~2리터를 마시는데 미네랄이 풍부한 생수로 마시는 것이 좋다. 식사 전후 30분에 마시면 소화에 지장을 주므로 항상 식사 사이에 수시로 마시는 것이 좋다. 커피나 녹차같이 카페인이 많이 들어 있는 음료는 만성 피로에 악영향을 끼친다. 카페인은 잠깐은 각성 효과가 있지만, 부신 기능에 좋지 않은 영향을 미치고 숙면을 방해한다.

둘째, 금지 음식은 다음과 같다.

- 설탕이 많은 들어간 음식은 가급적 피한다. 단 음식은 당 지수(Glycemic Index)가 높다. 이러한 음식은 단시간 내에 혈당을 높여 과도하게 인슐린을 분비시키고 저혈당증을 유발한다. 물론 부신 기능에 좋지 않은 영향을 끼친다. 혈액 내 염증 반응을 유발하며 장내 부패균이 증식하는 것을 높일 수도 있다. 당 지수가 높은 쌀밥, 흰 빵, 케이크, 칼국수, 순대, 피자, 감자, 떡볶이, 어묵, 초콜릿, 아이스크림 등은 피한다.
- 글루텐이 함유된 밀가루 음식과 잡곡 중 보리는 피하는 것이 좋다. 우리나라에는 글루텐을 소화하는 데 문제가 있는 사람들이 많다. 이런 음식을 계속 먹으면 자가 면역 반응을 일으켜서 피로를 유발할 수 있다.
- 카제인이 포함된 유제품(우유·치즈 등)을 피하는 것이 좋다. 카제인도 글루텐과 마찬가지로 우리나라 사람들 중에 소화가 잘되지 않아 피로를 일으키는 경우가 많다.
- 인스턴트 음식, 튀긴 음식, 술을 피하는 것이 좋다. 이런 음식들은 독소를 유발하고 장을 불규칙하게 하는 음식이므로 피

로를 유발한다. 인스턴트 음식은 대부분 탄수화물이 많고, 정제하는 과정에서 영양소가 변하고, 조미료나 향류가 들어가 있어 몸에 좋지 않다. 튀긴 음식은 주로 식물성 지방을 사용하는데, 열에 쉽게 산패되어 트랜스 지방으로 바뀌어 몸에 독소로 작용한다. 술은 그 자체가 칼로리가 매우 높고 분해 과정에서 생성된 물질이 독소로도 작용한다.

- 간식은 삼가는 것이 좋다. 위장과 소장은 동시에 작동하지 못한다. 음식을 먹고 위장에서 소화한 후 소장으로 내려갔을 때 다시 간식을 먹어 위장에 음식물이 들어오면 위장만 작동하게 된다. 소장으로 간 음식이 제대로 분해가 되지 않아 부패될 수 있다는 말이다. 음식은 5시간 간격으로 먹는 것이 좋다.

셋째, 권장 음식은 다음과 같다.

- 현미밥, 호밀빵 등 정제되지 않은 곡식을 먹는 것이 좋다. 잡곡밥도 좋다. 이들은 여러 영양소가 풍부하고 섬유질도 많이 들어 있다.
- 호르몬의 원료인 단백질도 섭취한다. 단백질은 몸 안에서 주로 구조와 기능의 역할을 담당하니 꼭 필요하다. 특히 필수아미노산은 체내에서 합성이 되지 않으므로 외부로부터 섭취해야 한다. 식물성 단백질과 동물성 단백질을 반반 섭취하는 것이 좋다.
- 야채, 나물, 해조류, 토마토 같은 식이섬유와 비타민, 미네랄, 항산화제가 풍부한 음식을 많이 먹는 것이 좋다. 모든 과일은 껍질에 많은 영양소가 들어 있다. 농약이 문제일 수 있지만 깨

끗이 씻어서 껍질째 먹는 것이 좋다. 당 지수가 높은 과일은 아침에는 삼가고 간식으로 먹을 때도 적게 먹는다.

운동 요법은 유산소 운동, 저항성 운동, 유연성 운동으로 나뉜다. 유산소 운동은 몸 안의 지방을 태우는 중요한 방법으로, 인슐린 저항성을 고쳐준다. 우리나라 사람들의 몸은 지방보다 탄수화물을 태우는 데 익숙한 엔진을 가지고 있다. 그러므로 40대 이상이 되면 쉽게 인슐린 저항성이 오게 되며, 탄수화물만 먹어도 살이 찌게 된다. 따라서 유산소 운동이 중요하다.

운동을 시작한 이후 최소 30분 이상은 운동을 해야 지방을 태울 수 있다. 운동을 심하게 하면 혈당이 올라가고 지방보다는 탄수화물을 태우니 바람직하지 못하다. 최고 운동량의 60% 정도의 운동을 해 근육을 키우고 기초 대사량을 늘린다. 특히 스트레칭 같은 유연성 운동을 해 강직된 근육을 이완시켜주는 것이 중요하다.

마지막으로 영양 치료다. 현대인이 먹는 음식은 화학 비료를 써 하우스에서 대량 생산으로 재배한 것을 먹는다. 그러니 비타민이나 미네랄이 충분하지 않다. 어떤 방법으로 이 부족한 영양분을 섭취해야 할까? 영양제 섭취가 그 한 방법이 될 수 있다. 영양제를 먹는다면 종합 영양제(비타민·미네랄·항산화제)와 오메가3를 기본으로 먹어야 한다. 비타민C는 항산화제로서 몸의 해독 기능을 높여준다. 게다가 염증을 줄이며, 대장 내 부패균도 없애고 면역을 높여준다. 비타민C는 수용성이니 많은 양을 복용해도 부작용이 없다.

반면, 비타민A와 비타민E도 중요한 항산화제이지만 지용성이므로 조심해서 복용한다. 비타민B군은 물질대사와 에너지를 생성하는 데 중요한 역할을 한다. 스트레스를 받아 에너지 대사가 과열되었을 때 필요한 것은 바로 비타민B군과 미네랄이다. 충분히 공급해준다.

모든 세포막은 지방산으로 이루어져 있다. 특히 뇌세포는 더욱 더 많은 지방산이 필요하다. 하지만 현대인은 나쁜 식생활 습관에 길들어 좋지 않은 지방산을 많이 섭취하고 있다. 따라서 좋은 지방산인 오메가3를 섭취하도록 노력해야 한다. 오메가3는 세포 내에 다른 영양소를 공급하는 데 중요한 역할을 하고 염증을 줄여주는 데도 한몫한다. 오메가3는 보통 1g 이상 꾸준히 먹는 것이 좋다.

스트레스를 완전히 피할 수 있는 사람은 없다. 전혀 스트레스가 없는 것도 스트레스가 될 수 있다. 적당한 스트레스는 오히려 마음 건강에 좋다. 바다에서 윈드 서핑을 즐기는 것같이 스트레스를 조정하면서 타고 넘어갈 수 있는 기술을 익혀야 한다.

스트레스를 받아들이고 스트레스를 극복하며 스트레스와 더불어 즐기면서 살아가는 삶을 살자!

푹 잘 수만 있다면:
수면

옛날 어떤 마을에 도승이 살고 있었다. 도승은 다 쓰러져가는 집에서 낮잠을 자고 있었다. 마루에 누워 코까지 골면서 말이다. 그때 안방에서 불이 나 하인이 도승을 깨웠다. 아무리 깨워도 깊은 잠에 빠진 도승은 일어날 기색이 전혀 없었다. 다급해진 하인은 더 세차게 도승을 흔들어 깨웠다. 겨우 단잠에서 깨어난 도승은 눈을 가늘게 뜨고 불길을 멍하니 바라보았다. 그러더니 이렇게 말하는 게 아닌가.
"불길이 문턱을 넘어오면 그때 다시 깨워라."

옛 속담에 '잠을 자야 꿈을 꾸고, 꿈을 꿔야 임을 만난다'는 말이 있다. 도승은 아마도 단꿈을 꾸고 있었을지 모른다. 잠에는 얕은 잠과 깊은 잠, 꿈꾸지 않는 잠과 꿈꾸는 잠, 단잠과 선잠, 자주 깨는 잠과 깨지 않는 잠, 악몽과 길몽 등 여러 가지가 있다. 사람은 일생의 3분의 1을 자면서 보낸다. 만약 90년을 산다고 치면 30년은 잠을 자면서 보내는 것이다.

수면은 사람의 식욕, 성욕과 더불어 3대 욕구로 꼽힌다. 예로부터 잠은 보약이라고 했다. 잠은 회복, 에너지 보존, 기억, 면역, 감정 조절 등 중요한 역할을 한다. 그러니 잠을 잘 자고 일어나야 하루를 활기차게 시작할 수 있다. 잠은 하루 컨디션의 80%를 좌우하며, 수면 건강은 성공과 행복의 척도다.

수면 건강은 수면의 양과 질로 평가할 수 있다. 수면량은 개인차가 심하다. 발명왕 에디슨은 하루에 3시간밖에 자지 않은 것으로 유명하다. 반면 아인슈타인은 하루에 10시간은 꼭 잤다고 한다. 적절한 수면 시간은 사람마다 다르다. 보통 신생아는 16시간, 1살이 되면 12시간, 성인은 8시간, 노인은 6시간 정도의 잠을 잔다. 현대인은 전기가 발명되고 업무량이 증가하면서 100년 전보다 한두 시간을 덜 잔다. 이처럼 부족한 잠은 건강에 나쁜 영향을 끼친다. 잠이 부족하면 기억력과 집중력, 순간적인 판단력과 순발력이 떨어진다. 감정 기복도 심해지고 식욕이 증가한다. 이는 크고 작은 산업재해와 교통사고의 원인이 되기도 한다.

충분히 잠을 잤는데도 아침에 일어났을 때 상쾌하지 않고 종일 피곤하며 만성 두통과 어지럼증이 있다면, 수면의 질을 의심해보아야 한다. 자고 또 자도 피곤한가. 등만 붙이면 잠이 쏟아지는가. 잠을 잘 때 자주 움직이고, 엎드려 자거나 입을 벌리고 잔다면 수면장애를 의심해보자. 잠들기 어렵거나 밤에 자주 깨고, 깊은 잠을 자지 못하거나 아예 꿈을 꾸지 않는 경우도 문제가 있는 것이다.

수면 구조는 일정한 단계와 주기가 있다. 크게 비렘수면과 렘수면으로 나뉜다.

'비렘수면'은 꿈 없는 잠이다. 전체 수면의 75~80%를 차지하는데, 몸과 신체의 피로를 회복하는 데 필요한 잠이다. 비렘수면은 다시 4단계로 나뉜다. 1~2단계는 얕은 잠이고, 3~4단계는 깊은 잠이다. 보통 얕은 잠이 전체 수면의 50%, 깊은 잠이 25%를 차지한다. 수면은 얕은 잠에서 깊은 잠으로 들어갔다 다시 얕은 잠으로 나온다. 그러고 나서 다시 깊은 잠으로 들어간다. 이 주기는 하룻밤에 5~6회 반복된다.

'렘수면'은 꿈꾸는 잠이다. 전체 수면의 20~25%를 차지하는데, 마음과 정신의 피로를 회복하는 데 필요한 잠이다. 렘수면은 신생아 때 50%를 차지하다 10살 이후로는 20~25%로 고정된다. 노인이 되면 꿈이 많아지는데 이는 전체 수면의 양이 줄지만, 렘수면은 고정되고 상대적으로 비렘수면이 줄어들어 나타나는 현상이다. 렘수면은 따로 단계가 없고 90~120분 주기로 반복되어 하룻밤에 5~6회, 새벽으로 갈수록 자주 출현한다.

사람은 누구나 매일 꿈을 꾼다. 밤새 꿈꾸는 잠은 깊은 잠 없이 얕은 잠과 렘수면을 반복하는 것이다. 꿈 없는 잠은 비렘수면에서 깨어 꿈을 기억하지 못하거나, 꿈을 꾸고도 일어나서 바로 잊는 경우다.

렘수면과 비렘수면을 비교해보자. 렘수면은 '뇌가 일하는 수면'

렘수면과 비렘수면

	렘수면	비렘수면
뇌파	비동조적	동조적
안구 운동	빠른 움직임	없거나 느림
혈압/맥박	불규칙	감소
호흡수	불규칙	감소, 규칙적
대뇌 당대사	증가	감소
대뇌 산소 소비	증가	감소
근전도	증가	감소
정신 활동	증가, 꿈이 많다	감소
발기 현상	자주 발생	거의 없다

이다. 깨어 있을 때와 유사한 활동성 뇌파가 보이고, 빠른 안구 운동(Rapid Eye Movement)을 한다. 주로 교감 신경이 항진되어 혈압, 맥박, 호흡이 불규칙하고 당대사와 산소 소비가 증가한다. 근육의 긴장도는 최하 수준으로 감소하여 온몸의 근육이 풀어진다. 꿈을 꾸는 동안 움직이지 못하게 하여 몸을 보호하는 것이다. 꿈의 역할은 낮에 입력된 정보를 장기 기억으로 전환하고, 낮 동안 쌓인 감정을 처리하는 일이다. 만일 꿈을 꾸지 못하게 한다면 어떤 일이 생길까? 기억력과 집중력이 감퇴하고 불안, 우울, 편집증 증세가 나타나며 성 기능이 감소할 수 있다.

비렘수면은 반대로 '몸이 푹 쉬는 수면'이다. 동조적 뇌파를 보이고 빠른 안구 운동은 없다. 혈압, 맥박, 호흡, 당대사, 산소 소비가 모두 감소한다. 깊은 잠(3~4단계)을 자는 동안 부교감 신경이 항진되어 교감 신경을 안정시켜준다. 낮에 고갈된 신경전달물질을 재충전하고, 성장 호르몬을 비롯한 여러 호르몬의 분비를 촉진한다. 근육을 이완시켜 피로를 풀어주기도 한다. 깊은 잠은 무의식이 가장 왕성하게 활동하는 시기이다. 장기 기억과 해묵은 감정을 재정리하고 창조적인 작업이 일어나는 것이다.

우리를 괴롭히는 수면장애

수면장애는 잠을 자지 못하거나 지나치게 많이 자는 것이다. 뇌에 산소와 당이 부족하면 수면을 방해한다. 물리적인 스트레스나 정신적인 스트레스도 수면을 방해하는 요소다. 대표적인 3대 수면장애는 불면증, 수면무호흡증, 하지불안증이다.

불면증은 가장 흔한 수면장애다. 잠들기가 어렵거나 밤에 자주 깨고, 깊은 잠을 자지 못하거나 아침에 일찍 깨며, 악몽에 시달리거나 아예 꿈이 없는 경우다. 불면증을 겪는 사람이라면 누구나 "오늘도 자지 못하면 어떻게 하나?" 하는 불안감을 가지고 있다. 하지만 이러한 불안감은 밤낮을 가리지 않는다. 온종일 피곤하고 기억력과 집중력이 떨어지며 두통과 어지럼증도 호소한다. 불면증은 여자와 노인에게 더 흔하게 발병한다. 수일에서 일주일을 자지 못하는 급성 불면증에서 종종 몇 주, 몇 달, 몇 년 동안 지속되는 만성 불면증이 나타나기도 한다. 불면증은 보통 2주가 넘으면 학습되어 만성 불면증으로 진행된다. 우울증이 동반될 수 있으니 초기에 잡아야 한다.

불면증의 원인은 보통 스트레스나 시차 적응, 수면 습관의 변동에서 유발된다. 그러나 다른 여러 질환으로부터 동반되기도 한다. 우울증, 불안증, 알코올중독, 외상후스트레스장애 등 심한 정신과적 질환에서 올 수도 있다. 수면무호흡증, 하지불안증, 사지운동증 등에서 올 수도 있고 당뇨나 혈압, 호흡기나 심장질환, 만성 통증 등이 원인이 될 수도 있다. 그러므로 무턱대고 약부터 사용하는 것은 자칫 치료를 어렵게 하고, 불면증을 장기화할 위험성이 높다. 불면증을 정확히 진단하려면 수면의학 전문가와 상담을 거쳐 치료받는 것이 좋다.

불면증은 수면유도제를 적절히 복용하는 것이 도움이 될 수도 있다. 그러나 수면제는 불면증의 원인을 치료하는 것이 아니므로 효과를 보더라도 일시적이다. 수면제를 장기 복용하면 중독에 빠질 수 있다. 특히 수면무호흡증은 위험하다. 수면제 종류에 따라 호흡 저하를 유발하여 증상을 더 악화시킬 수 있다. 술을 마신 후에는 진정 작용이 배가되니 수면제를 사용하려면 매우 조심해야 한다. 만성 불면증의 경우, 원인 질환이나 동반 질환이 다 나아도 불면증은 그대로 남아 있을 수 있다. 이때 인지행동치료를 통해 수면에 대한 이해도를 높이고, 자신의 잘못된 수면 습관이나 신념을 교정하며 수면제를 차츰 줄여나가야 한다. 대인 관계 갈등이나 성격 문제, 해결되지 않은 어릴 적 상처가 있다면 심리치료를 받을 것을 추천한다.

'수면무호흡증'은 수면 중 호흡이 멈추는 질환이다. 보통 '코골이'라고 한다. 자는 동안 숨 통로가 막혀 산소 공급이 중단된다. 코골이는 성인 남자의 50%, 성인 여자의 30%에서 나타나는데, 이 중

10%는 수면무호흡증을 호소한다. 수면무호흡증은 보통 객관적인 방법으로 진단한다. 10초 이상 숨을 쉬지 않는 무호흡이 1시간에 5회 이상 발생하면 수면무호흡증이 있다고 진단한다. 이 기준에 의하면 중년 남성의 25%, 여성의 10%에서 수면무호흡증이 있다고 한다.

수면무호흡증의 대표 증상은 주간졸림증이다. 자고 또 자도 피곤하고, 엎드려 자거나 입을 벌리고 잔다. 아침에 두통을 느끼거나 심한 구강 건조를 호소하기도 한다. 기도가 심하게 좁아지거나 아예 기도의 벽이 서로 붙어버려 숨이 자주 멎기도 한다. 이러한 수면 중단은 기도의 근육을 자극하여 더 좁아지게 하며 수면무호흡 증상의 악순환을 불러올 수 있다.

수면무호흡은 하룻밤에 대개 수십 번에서 수백 번 발생한다. 이때 깊은 잠을 자지 못하고 자주 깨며 악몽에 시달린다. 수면무호흡증을 앓고 있는 사람은 낮에도 정상적인 각성 상태를 유지하기 어려워 정상인보다 교통사고를 일으킬 확률이 7배나 높다.

수면 중 무호흡이나 저호흡이 발생할 경우, 체내의 산소가 부족해져 위험하다. 산소가 부족해지면 심장은 더 많은 피를 순환시키기 위해 빨리 뛰고 혈압은 올라가며 심장 박동이 불규칙해진다. 간혹 심장 박동이 일시적으로 멈추기도 한다. 이같이 심장 정지가 오래 지속되면 생명이 위험해질 수 있다.

하지불안증은 가만히 앉아 있거나 누워 있을 때 다리에 벌레가 기어 다니는 듯한 느낌이 드는 것이다. 사람들은 다리가 시리고 저리다고 표현하는데, 이 증상은 밤에 심해진다. 이는 다리에 경련이 생기는 것이나 다리가 눌려 쥐가 나는 것과는 다르다. 이 불편한 느낌은 종아리에서 가장 많이 발생한다. 다리를 뻗거나 움직이면 잠깐 좋아지지만, 가만히 있으면 증상이 다시 나타난다. 심한 경우에는 통증이 나타나 잠들기가 어려워 불면증이 생기는 경우도 흔하다. 다리를 계속 뻗거나 움직여야 증상이 호전되는 탓에 쉽게 잠들 수 없다. 하지불안증은 대부분 다리에서 증상이 발생하지만 팔에 증상이 나타나기도 한다.

하지불안증은 감정적인 스트레스나 정신과적인 질병에서 오는 증상이 아니다. 이러한 통증은 불면증을 유발한다. 밤사이 잠을 충분히 자지 못한 환자가 낮 동안의 생활에 지장을 받아 신경이 예민해지고 우울해질 수 있다.

하지불안증은 일생 동안 5~10% 정도 경험한다. 하지불안증은 나이가 들면서 증가하는데, 보통 60세 이상의 25%가 이 증상을 호소한다. 노인에게 흔히 나타나는 증상이지만 어느 나이에나 발생할 수 있으며 성별에 따른 차이는 없다. 하지불안증은 임신 후반기에 심해질 수 있고 증상은 특별한 원인이 없이 기복이 있다. 철분 결핍성 빈혈이 있다면 하지불안증 증상이 급격히 심해질 수 있다. 하지불안증의 30% 정도는 유전적 소인이 있다.

하지불안증은 보통 철분이 부족하거나 신경전달물질인 도파민이 부족해서 나타난다. 그래서 빈혈이라면 철분을 보충해주고, 도파민을 올리는 약(뉴킵)을 투약하면 효과적이다. 특히 다리가 불편하거나 저린 현상은 날씨와 관련이 있다. 비가 오고 흐린 날은 반신욕이나 족욕을 해 근육을 부드럽게 풀어주는 것이 좋다. 술은 저린 다리를 더 민감하게 하므로 금한다.

건강한 수면을 통한 힐링

수면 습관을 바꾸는 것은 매우 힘들다. 하지만 건강한 수면은 건강한 수면 습관에서 온다. 건강한 수면 습관을 가지려면 규칙적인 생활, 충분한 햇빛, 스트레스 관리, 좋은 음식, 규칙적인 운동에 주의하면 된다.

첫째, '규칙적인 생활'을 통해 신체의 항상성을 유지한다.

불규칙적인 수면 습관은 생체 시계를 혼란스럽게 한다. 되도록 기상 시간과 취침 시간을 지켜야 한다. 주말과 휴일에 늦잠을 자는 것도 수면 리듬을 깰 수 있다. 낮잠은 되도록 피하고 정말로 졸리면 30분 이내로 제한해야 한다. 잠자리에 누워 있는 시간을 일정하게 하는 것이 좋다. 수면 노트를 만들어 수면 습관을 기록하면 규칙적인 수면 습관을 갖는 데 매우 효과적이다.

둘째, '충분한 햇빛'으로 일주기성 리듬을 잘 조절한다.

잠을 잘 자려면 햇빛과 친해져야 한다. 햇빛은 수면뿐 아니라 정신 건강에도 좋다. 빛은 시신경을 통해 시각중추, 솔방울샘(송과선) 시상하부로 전달되어 호르몬과 신경전달물질을 생성하는 데 영향을 끼친다. 밝은 빛은 충분한 멜라토닌을 분비시켜 숙면을 유도하고, 세로토닌 활성도를 높여 우울증을 없애준다. 멜라토닌은 아침에 빛을 본 후 15분이 지나면 분비된다. 그래서 기상 후 30분 이내에 햇빛에 노출하는 것이 좋다. 반대로 잠을 자기 전에는 은은한 조명을 사용한다. 특히 밤중에 깼을 때 밝은 빛에 노출되지 않도록 한다.

셋째, '스트레스 관리'를 잘한다.

신경과민이 있을 때는 잠자리에 특별히 신경 쓴다. 시계를 잠자리에서 보이지 않는 곳에 두고, 밤에 깨더라도 시계를 보지 않는 것이 좋다. 침실은 어둡고 조용하며, 공기 소통이 잘되고, 적절한 실내 온도와 습도를 유지한다. 귀마개나 눈가리개 등을 사용해도 좋다. 밤에 깨는 경우를 대비하여 간단한 자기 최면을 배워두는 것도 좋다. 긴장을 풀고 즐거운 마음을 갖도록 노력한다. 너무 잠자려고 노력하는 것은 바람직하지 못하다. 오히려 "나는 잠을 자지 않아도 좋다"고 마음먹는 것이 더 효과적이다. 10분 이상 잠이 오지 않으면 일어나 단순 작업을 반복하는 일을 하면서 졸릴 때까지 기다리는 것이 낫다. 베개는 적당한 높고 견고한 것을 사용한다.

넷째, '좋은 음식'을 가려서 먹는다.

좋은 음식은 수면 건강에 필수다. 잡곡밥, 신선한 야채, 생선, 고기 등을 골고루 먹는 것이 좋다. 칼슘·철분·마그네슘이 풍부한 음식은 수면을 돕는다. 아침에는 수면을 깨우는 타이로신이 많이 든 음식(달걀·고기·초콜릿)이 좋고, 저녁에는 수면을 유도하는 트립토판이 많이 든 음식(우유·치즈·바나나·견과류 등)이 좋다. 커피와 담배는 각성 효과가 있으니 저녁 식사 이후에는 삼가는 것이 좋다. 술은 스트레스를 풀어주어 잠들기에는 좋지만, 후반기에 자주 깨므로 삼가고 먹더라도 조금만 먹는다.

다섯째, '규칙적인 운동'은 건강한 수면에 필수적이다.

주 5회, 매일 40분 이상 운동하는 것이 좋다. 규칙적인 운동을 하면 세로토닌이 분비되어 마음이 안정된다. 하지만 잠자기 5~6시간 전에 운동을 끝마쳐야 하며, 자기 전에는 간단한 산책이나 걷기 운동이 좋다. 스트레칭을 해 몸의 근육을 풀어주는 것도 도움이 된다. 따뜻한 물이나 보리차를 먹는 것도 좋다. 잠자리에 들기 2시간 내에 반신욕을 하면 근육이 이완되고 긴장을 완화하는 데 도움이 된다.

헤어 나올 수 없어: 중독

한 남자가 부인을 살해한 혐의로 법정에 섰다. 그 남자는 30년 동안 한 직장에서 일했고 매일 빠짐없이 집에서 저녁 식사를 한 성실한 사람이었다. 남자는 살인이 일어난 저녁도 평상시처럼 일찍 퇴근했다. 그런데 그날, 부인이 침실에서 다른 남자와 있는 것을 목격했다.

다음은 판사와 남자가 나눈 대화다.

"부인이 외도하는 현장을 목격하는 순간 화가 머리끝까지 나셨습니까?"

"아닙니다."

"음, 그렇다면 왜 부인을 칼로 찔렀습니까?"

"30년 동안 한 번도 거르지 않았던 저녁 식탁이 그날 준비되어 있지 않은 것을 본 순간 화가 나서 그만……."

중독이란 어떤 일이나 물질에 젖어 정상적으로 사물을 판단할 수 없는 상태를 말한다. 남자는 30년 동안 매일 먹던 저녁 식사에 젖어 있었다. 그러니 저녁 식탁이 준비되어 있지 않은 것을 본 순간 화가 치밀어 판단력을 상실했다.

사람은 항상 무언가를 의존하고 어딘가에 중독되어 살아간다. 5대 욕구라는 것이 있다. 식욕, 성욕, 수면욕, 명예욕, 권력욕이 바로 그것이다. 이 욕구는 우리로 하여금 일생을 돈과 섹스, 명예와 권력을 추구하도록 한다. 욕구는 항상 쾌감을 동반한다. 강한 욕구는 언제든지 중독으로 발전할 수 있다. 우리가 중독되는 대상은 생물일 수도 있고 무생물일 수도 있다. 때로는 구체적인 것일 수도 있고 추상적인 것일 수도 있다. 행위에 중독될 수도 있고 상상에 중독될 수도 있다. 우리는 음식, 성, 약물, 게임 등에 중독되고 조깅, 낚시, 여행, 등산 등에 빠지며 남녀 간의 사랑, 친구 간의 우정, 안정된 생활, 종교적 생활 등에 중독된다. 어쩌면 중독은 인간에게 당연한 현상이며 인간의 본성이라고 할 수 있다.

중독이란 술이나 담배 등을 지나치게 사용하여 그것 없이는 견디지 못하는 병적인 상태다. 술과 담배, 커피는 현대인이 가장 즐기는 기호품이다. 아침에 마시는 커피 한 잔은 멍한 정신과 나른한 몸을 깨워 활기찬 하루를 시작하도록 한다. 한 모금의 담배는 실타래처럼 꼬인 머리를 풀어주어 창조적인 아이디어가 떠오르도록 한다. 한 잔의 술은 하루 동안 직장에서 받은 스트레스를 순식간에 풀어준다. 저녁 회식에서 오가는 술은 경계하고 위축된 마음을 누그러뜨려 허물없이 대화를 나눌 수 있도록 하는 대인 관계의 마술사다. 한마디로 술과 담배, 커피는 현대 문명 창출의 공헌자라고 할 수 있다.

그런데 이런 순기능은 한순간 역기능으로 바뀔 수 있다. 이유는 인간의 뇌에서 술은 마약으로 작용하고, 담배와 커피는 각성제로 작용하는 까닭이다. 지나치게 사용하고 남용하면 중독으로 발전한다. 술중독, 담배중독, 커피중독은 현대인의 건강을 위협한다. 의사들은 고혈압과 당뇨병, 심장병과 뇌졸중, 각종 암과 치매 등 모든 성인병이 술과 담배에서 온다고 주장한다.

중독에는 반드시 그 이면이 있다는 것을 명심해야 한다. 중독이란 쾌감의 노예가 되는 현상이며 쾌감은 생명력, 정신력, 창조력의 원천이다. 중독은 안정감과 자신감의 동력이기도 하지만 오감을 넘어 오묘한 감각과 신비로운 체험을 하도록 하는 주체이기도 한 것이다. 인간은 동물과는 비교되지 않을 정도로 고도로 발달된 쾌감 신경을 가지고 있다. 이는 인간이 만물의 영장 자리를 차지하게 된 이유이기도 하며, 인간만이 유일하게 중독에 취약한 이유이기도 하다.

중독의 속살

마약은 매우 위험하다. 세계보건기구(WHO)에서 규정하는 마약류는 사용하기 시작하면 자꾸 사용하고 싶은 충동을 느끼고(중독), 사용할 때마다 양을 늘리지 않으면 효과가 없으며(내성), 사용을 중지하면 온몸에 견디기 어려운 이상을 일으키고(금단 증상), 개인에게 한정되지 않고 사회에도 해를 끼치는 물질(남용)을 칭한다.

'중독'이란 일단 기분의 변화를 목적으로 약물(물질)을 사용하는 것이 전제 조건이다. 우선 약물을 사용하는 것이 습관이 되고, 약물에 대한 신체적·심리적 내성이 생겨 점점 더 많이 사용하게 되며, 약물을 멈추면 금단 증상 즉, 불쾌한 정신 증상이나 신체 증상이 나타나 끊지 못하는 상태를 말한다. 청소년은 보통 자극을 얻기 위한 수단으로 약물을 사용한다. 성인은 고통을 회피하고 실망과 좌절과 스트레스로부터 도피하기 위한 동기로 약물을 사용한다.

중독을 구별하는 가장 중요한 것은 조절 능력의 상실이다. 조절 능력을 상실하면 약물을 획득하는 데 집착하고, 강박적으로 사용하며, 재발로 나타난다. 과거에는 내성과 금단 증상을 중요시했지만 1980년대 이후 등장한 대마초, 필로폰, 코카인 등은 내성이나 금단 증상이 잘 생기지 않으면서 파괴 효과가 술이나 아편만큼 높아 중독이 중요한 진단 기준으로 등장하게 되었다.

중독의 핵심 증상은 집착, 강박적 사용, 재발이다. '집착'이란 필요한 약물을 확보하거나 사용하는 데 아주 많은 시간을 쓰고, 약물 사용으로 인해 중요한 사회적, 직업적, 취미 활동을 하는 시간이 줄어들거나 포기하는 경우를 말한다. '강박적 사용'이란 문제가 계속 발생하고 좋지 않은 후유증이 계속 나타나는데도 약물에 자주 취해 있거나 약물을 계속 사용하는 것을 의미한다. '재발'이란 약을 끊거나 조절해보려는 지속적인 열망이 있기는 하지만 성공하지 못하거나, 한두 번 정도만 성공한 상태를 의미한다. 이러한 중독은 인터넷이나 게임, 섹스 등의 행위에도 적용된다.

'내성'이란 중독이나 원하는 효과를 얻기 위해 약물(물질)의 용량을 늘려야 하거나 동일 용량의 약물을 계속 사용할 경우, 효과가 현저히 감소되는 상태를 말한다. 내성이 생기는 정도는 약물에 따라 차이가 크다. 술과 아편이 가장 심한데 거의 10배 이상 심한 내성이 생긴다.

'금단 증상'은 약물(물질)에 의존된 개인에게서 혈액이나 조직 내 농도가 저하되었을 때 나타나는 현상으로 생리적·인지적 기능장애를 동반하는 부적응적인 행동 변화다. 일단 불쾌한 금단 증상이 나타나면 개인은 그 증상을 피하거나 완화시킬 목적으로 약물을 사용하게 된다. 금단 증상은 약물에 따라 다르며 사용 기간, 사용량에 따라 반응과 강도가 다양하다. 뚜렷한 금단 증상의 생리적 징후는 술, 아편, 진정제, 향정신성 약물에서 공통적이다. 필로폰, 코카인 등의 각성제와 담배에서도 흔히 나타나지만 현저하지 않다.

'약물 남용'은 의학적 상식, 법규, 사회적 관습으로부터 일탈하여 쾌락을 추구하기 위해 약물(물질)을 사용하거나 과잉 사용하는 행위를 말한다. 약물 남용인 경우, 법적 규제 대상이 되는 마약류 및 향정신성 약물을 사용하기도 하고 법적 규제 대상이 되지 않는 약물을 사용하기도 한다. 진단 기준은 다음과 같다.

* 반복적인 약물 사용으로 직장·학교·가정에서 중요한 임무를 수행하지 못한다.
* 신체적으로 해를 주는 상황에서 반복적으로 약물을 사용한다.
* 반복적으로 약물 사용과 관련된 법적 문제를 일으킨다.

* 약물의 효과로 사회적 문제나 대인 관계 문제가 지속적으로 또는 반복적으로 야기되거나 악화되는 데도 계속 약물을 사용한다.

'약물의존'은 약물 사용과 관련된 중요한 문제가 있는데도 개인이 약물(물질)을 지속적으로 사용하고 있음을 나타내는 인지적·행동적·신체적 증상이다. 반복적인 약물 사용은 내성과 금단 증상을 일으키고, 강박적으로 약물을 추구하는 행동을 불러일으킨다. 약물의존은 카페인을 제외한 모든 약물에 적용된다. 약물의존에는 내성과 금단 증상을 동반하는 생리적 의존과 내성과 금단 증상

약물중독의 다양한 현상

	심리적 의존	신체적 의존	남용	중독	금단	중독 섬망	금단 섬망	치매	정신병	기분 장애	수면 장애
알코올	○	○	○	○	○	○	○	○	○	○	○
암페타민	○		○	○	○	○			○	○	○
카페인				○							○
대마초	○		○	○		○			○		
코카인	○		○	○	○	○			○	○	○
LSD	○		○	○		○			○	○	
흡입제	○		○	○		○		○	○	○	
니코틴	○	○		○	○						
아편	○	○	○	○	○	○			○	○	○
PCP	○		○	○		○			○	○	
향정신성 약물	○	○	○	○	○	○	○	○	○	○	○

을 동반하지 않는 심리적 의존이 있다. 약물중독의 다양한 현상을 요약하면 108쪽 도표와 같다.

약물중독의 수렁

쾌감은 조물주가 인간에게 부여한 최상의 선물이다. 성적 쾌감이나 섭식에서 오는 쾌감은 말할 것도 없고 어려운 대학 입시에 합격했을 때, 멋있는 이성과 교제를 하게 되었을 때, 운동 경기에서 승리했을 때, 오랜 고생 끝에 일을 성취했을 때, 멋진 예술 작품을 완성했을 때 등 모든 분야에서 인간은 쾌감을 느낀다. 사람에 따라서는 폭행, 갈취, 살인, 전쟁, 대량 학살 등 남을 괴롭히는 가학적 행위를 통해 쾌감을 느끼기도 한다. 쾌감은 모든 생명력·정신력·창조력의 원천이다. 하지만 인간을 광기와 파멸의 구렁텅이로 빠뜨리기도 하고, 반사회적 행위를 통해 사회를 파괴시키기도 한다. 약물중독 역시 잘못된 쾌감의 하나이며, 과도한 스트레스와 만성 피로에 허덕이는 현대인들이 조심해야 할 부분이다.

과거 청소년들이 많이 사용했던 본드, 시너, 부탄가스 등은 심각한 부작용을 일으키는 유기용제다. 코나 입으로 직접 흡입하거나 비닐 봉투나 헝겊을 사용해 흡입한다. 본드, 시너, 부탄가스 등은 뇌세포를 비롯하여 체내의 세포를 녹여버린다. 이들은 유사 신경 전달물질로 기능하여 뇌 시스템을 혼란시키고 파괴시킨다. 이러한 유기용제는 각성제인 필로폰보다도 심한 정신병을 유발시켜 위험하다.

전국 소년원에 입소한 청소년의 40~50%가 본드나 가스를 흡입한 경험이 있는 것으로 밝혀져 충격을 준 적도 있다. 유기용제를 흡입한 청소년의 절반 이상이 순간의 행복감을 느끼는 것으로 알려졌다. 이를테면 의식이 희미해지고 시간과 공간의 현란한 왜곡 현상이 일어나며, 주위 색채가 풍성해지고 몽환의 세계를 떠돌게 되며, 착시가 생기고 도취감을 느끼게 되는 것이다. 이러한 정신 현상은 청소년들로 하여금 '본드와 시너 놀이'에 반복해서 빠지도록 한다. 반대로 공포, 죄책감, 고독감 등에 시달리기도 한다. 두통, 마비, 탈진, 경직, 구토, 경련 등의 신체 증상이 동반되기도 한다. 성격이 포악스럽게 변하거나 흉악한 범죄를 저지르기도 하며, 뇌 조직이 손상되고 위축되어 지능까지 떨어지는 심각한 후유증을 겪게 되기도 한다. 골수 조직이 파괴되어 백혈병이 발병할 수 있으며, 기형아를 낳을 확률이 아주 높아진다. 이렇게 위험한 유기용제는 손쉽게 구할 수 있을 만큼 우리 주위에 널려 있다. 특히 중독성이 강해 치료를 받은 이후에도 많은 청소년이 다시 유기용제에 손을 대고 만다.

한편 우리가 자주 마시는 술의 주성분인 알코올도 유기용제의 일종이다. 이처럼 모든 유기용제가 인체에 유독한 것은 아니다. 알코올은 체내에서 알코올 분해 효소에 의해 무해한 물과 탄산가스로 분해된다. 이 효소는 인종과 사람에 따라 다른데, 특히 동양인에게 결핍되어 있다. 따라서 효소가 결핍되면 안면 홍조를 띠고 심장 박동이 증가할 수 있으며, 구역질이 나거나 복부에 이상 감각을 느낄 수 있다. 기분 나쁜 숙취를 불러일으킬 수도 있다.

알코올은 온화한 마약(아편)과 같은 작용을 한다. 우리가 술에

취하는 것은 알코올이 얼마간 뇌의 신경세포를 녹이며 마취 작용을 하기 때문이다. 따라서 술에 취하면 이성적 판단력을 잃고 본능적 욕구가 활성화되어, 주사를 부리게 된다. 과도한 음주는 연수(숨골)까지 억제시켜 사망에 이르게 한다.

암페타민은 대표 각성제다. 암페타민은 뇌에서 강력한 각성 작용을 하여 사고력·기억력·집중력 등을 순식간에 고조시키며, 강렬한 쾌감 작용을 일으킨다. 하지만 중독되면 무서운 정신분열을 유발시키며, 인간의 기질이나 성격까지도 지배하고 바꿔버리는 위험한 물질이다.

최근 몇 년 사이 우리나라는 금연에 대한 사회적 공감대가 형성되며 금연 구역을 지정하는 문제와 담뱃값 인상 문제 등에 대해 활발하게 논의했다. 이는 흡연이 흡연자는 물론 간접 흡연자에게도 치명적 영향을 끼치는 것은 물론, 보건과 복지에 대한 사회적 관심이 높아진 덕분이다. 하지만 흡연자들의 반발 역시 거세다. 금연 구역을 지정하고 담뱃값을 인상하는 문제가 흡연자들의 권리를 침해한다는 논리에서다.

담배 1개비 속에는 4000여 개의 독성 물질과 20여 가지의 발암물질, 니코틴, 타르 등이 들어 있다. 담배의 주성분인 니코틴은 도파민, 아드레날린과 화학 구조가 유사하며 그 자체가 맹독 물질이다. 니코틴은 지구상에 존재하는 물질 중에서 가장 중독성이 강한 물질 가운데 하나이다. 인체로 흡입된 니코틴은 폐·심장·뇌로 빠르게 흡수되어 강력한 각성제로 작용한다. 모르핀이나 코카인이 뇌까지 도달하는 시간은 2~3분이지만, 니코틴은 불과 7초 만에 뇌에 도달하여 녹아든다. 니코틴은 중독성이 강하고 다양한 금단 증상을 일으키며, 뇌에서 계속 흡연을 요구하는 명령을 내린다. 이것이 금연이 생각만큼 쉽지 않은 이유다.

카페인은 커피의 주성분으로 이 세상에 가장 널리 사용되는 각성제다. 소량의 카페인은 정신을 맑게 하고 졸음과 피로를 말끔히 씻어주며, 위를 자극하여 소화를 촉진한다. 하지만 과도한 커피 문화는 카페인중독을 불러일으킬 수 있다. 하루 5~6잔의 커피를 마신다면 오히려 카페인중독으로 집중력이 떨어지고 커피를 마시지 않을 때 졸릴 수 있다. 카페인은 커피뿐 아니라 콜라, 녹차, 홍차, 코코아, 청량음료에도 다량 들어 있다. 따라서 하루에 섭취하는 카페인의 양을 꼼꼼하게 체크하는 습관을 들이는 것이 좋다.

중독으로부터 벗어나기

중독은 집착, 강박적 사용, 재발을 특징으로 하는 병적인 현상이다. 내성이나 금단 증상이 없더라도 심리적·사회적 부적응을 전제로 한다. 중독은 인터넷과 게임과 섹스 같은 행위중독, 술과 담배와 커피 같은 기호품중독까지 그 범위가 광대하다. 중독, 특히 약물중독은 치료가 대단히 힘든데, 자신의 의지로 중독을 중단하는 확률은 5% 미만이다. 의사들은 약물을 중단하려면 강제 입원 치료, 해독 치료, 행동 치료, 재활 치료와 중독자들을 위한 지속적인 자조 모임에 참석할 것을 권하고 있다.

마약은 진통, 진정, 쾌감 작용이 있고 각성제는 각성, 쾌감 작용이 있다. 마약과 각성제는 일상에서 느낄 수 없는 강력한 쾌감 작용으로, 한 번 관계를 맺기 시작하면 누구라도 그 마력에서 벗어나기 쉽지 않다. 결국, 의존과 중독에 빠져 광기와 파멸에 이를 수밖에 없다. 설사 강한 결단으로 잠시 벗어나더라도 다시 빠져든다. 모든 약물중독에는 플래시백(약물을 사용하지 않는 평소에 갑자기 약물을 사용했을 때 느끼는 강력한 환상이 덮쳐 깜짝 놀라는 것)이 있음을 주의해야 한다.

약물중독은 개인 문제를 넘어서 사회·정치 문제로까지 비화된다. 우리나라는 1992년 마약퇴치운동본부를 설립하여 전 국민을 대상으로 홍보·교육·상담 등 예방 활동을 펼치고 있다. 최근 마약류 남용의 억제와 예방, 공급 통제, 불법 거래 근절, 중독자의 치료 및 재활 등을 위해 국제 협력이 강화되고 있지만, 대다수 사람은 약물중독이 자기와는 무관하다고 생각한다. 그러나 일상생활에서 입에 대는 기호품인 술과 담배 그리고 커피, 감기약이나 안정제 따위도 사실 마약과 각성제의 사촌 정도 되는 약물이다. 술과 안정제는 마약과 유사한 작용을 하고, 담배와 커피는 각성제와 유사한 작용을 한다. 우리가 피로를 풀기 위해 무심결에 사용하는 기호품인 '술과 담배'가 '마약과 각성제'의 역할을 하는 것이다.

알코올 역시 지나치면 독이 된다. 알코올은 전 세계적으로 가장 많은 생명을 앗아가는 3가지 질병 중 하나다. 술은 위염, 위암, 식도암, 간경변증, 간암, 치매 등을 일으킬 위험이 크다. 우리나라 전체 국민 중 10~30%가 알코올중독 환자다. 그래서 알코올의 위험성을 알리는 홍보와 교육과 상담 등을 활발히 진행하고 있다. 그런데도 회식 문화와 술에 관대한 국민성으로 그 수치는 쉽게 줄어들지 않고 있다.

소량의 알코올은 스트레스를 줄여주고 심혈관 질환을 예방한다. 게다가 콜레스테롤 비율을 조절하고, 혈액 응고 작용을 하는 데도 유익하며 인슐린 민감도도 증가시킨다. 포도주는 폴리페놀 같은 항산화제가 있어 더 유익하기도 하다. 미국 식약청(FDA)에서는 적정 음주량의 기준치를 하루 0.8g(소주 3분의 2병) 이하로 권하고 있다. 문제는 과도한 음주다. 알코올이 우리의 삶을 옭아매지 않으려면 적당량의 음주를 하는 것이 좋다.

니코틴이 해롭다는 것은 널리 알려진 사실이다. 직접 흡연하는 것보다 간접 흡연이 2~3배 더 해롭다는 보고도 속속 나오고 있다. 최근 우리나라는 병원, 공공 기관, 기업체뿐 아니라 음식점과 카페까지 금연 구역으로 지정해놓았다. 영화나 방송 프로그램을 촬영할 때는 흡연 관련 장면을 촬영해 방영할 수 없다. 그럼에도 쉽사리 흡연 인구가 줄어들지 않는 실정이다.

니코틴은 코카인이나 헤로인보다 더 중독성이 강한 물질이다. 금연은 흡연자의 의지로 성공할 확률이 통계상 3% 미만이다. 현재 금연을 위한 여러 가지 방법을 개발해놓았다. 시중에서 많이 판매하는 금연 껌, 금연 사탕, 금연 패치, 전자 담배는 일종의 니코틴 보충 요법이다. 담배 대신 니코틴을 몸속에 주입하여 금단 증상을 없애면서 담배를 줄여가는 방법이다.

카페인은 적당량을 초과하지만 않으면 소량의 알코올처럼 유익하다. 매일 1~6잔 마시는 커피는 뇌졸중의 위험을 20% 줄여준다는 보고도 있다. 하루에 2~3잔 정도 커피를 마시는 여성은 하루 1잔 미만으로 마시는 여성보다 우울증의 위험을 15% 줄여준다는 보고도 있다. 소량의 카페인은 콜레스테롤의 비율을 조정하고 인슐린 민감도를 높이며, 염증표식자의 농도를 감소시켜준다.

문제는 중독이다. 중독에는 처음부터 손을 대지 말아야 할 유기용제도 있지만, 기호 식품으로 분류되어 누구나 손쉽게 접할 수 있는 것들도 있다. 눈코 뜰 새 없이 돌아가는 현대 사회에서 현대인들의 스트레스는 날로 증가하고 있다. 그만큼 잠깐의 쾌락과 손쉬운 만족에 마음을 빼앗기기 쉽다. 하지만 나 자신을 중독된 삶에 방치할 것인지, 중독으로부터 자유로워질 것인지는 우리가 선택해야 할 문제이다. 절제할 수 있는 선에서의 선택, 그것이 중독으로부터 자유로워질 수 있는 길이다.

중독으로부터의 자유

옛날에 한 청년이 목숨을 걸고 머나먼 길을 떠나 천신만고 끝에 위대한 스승을 찾아갔다.

스승이 청년에게 물었다.

"그대는 무엇을 위해 여기까지 왔는가?"

"깨달음을 구하러 왔습니다."

"이미 네 안에 보물창고를 가지고 있는데 굳이 이곳까지 와서 찾으려고 헤매는가."

이 이야기에서 스승은 깨달음을 구하러 목숨을 걸고 머나먼 길을 찾아온 청년에게 보물창고가 이미 그의 몸 안에 있다는 것을 지적한다. 어쩌면 스승은 뇌 내 마약 물질인 엔도르핀에 대해 알고 있었을지 모른다. 엔도르핀은 우리가 깨달음이나 신비 체험이라 부르는 황홀, 몽환, 환상, 득도의 경지에 작용하기 때문이다.

옛사람들은 각성 성분이 있는 것을 불로장생의 단약(丹藥), 권력과 권위의 상징, 힘 있는 식물로 숭배해왔다. 잉카 제국에서는 코카 잎을 고통으로부터 인간을 구하는 '은혜의 식물'로 사용했고, 마야 제국에서는 버섯을 환각 경험을 하기 위해 사용했다. 최근 멕시코 인디언들은 신비 체험을 하기 위해 종교의식에서 '신의 고기'라 불리는 버섯이나 '페요테'라는 작고 가시가 없는 선인장을 환각제로 사용하고 있기도 하다. 특히 술을 금지하는 이슬람교도 역시 종교 행사에서 암페타민과 유사한 '카트'라는 식물을 사용한다.

하루하루 늙어가다니: 노화

사람은 누구나 젊음을 유지하고자 하는 욕망이 있다. 불로장생에 대한 소망을 가지고 있기도 하다. 《도덕경》에 이런 말이 있다.

"도(道)는 젊어서 시작해도 이르지 않고 늙어서 시작해도 늦지 않다."

회춘(回春)도 마찬가지다. 회춘은 젊어서 시작해도 이르지 않고 늙어도 시작해도 늦지 않다. 요즘 유행하는 건강법인 '회춘 10계명'이 있다.

*하루 10분 명상하라.

*자주 빨리 걸어라.

*물을 충분히 마셔라.

*맘껏 웃어라.

*수수하게 입어라.

*자외선을 피하라.

*피부는 촉촉하게 하라.

*리모컨은 자녀에게 주어라.

*대중문화를 즐겨라.

*디지털을 배워라.

진시황은 불로장생을 위해 불로초를 복용하는 등 할 수 있는 모든 방법을 동원했다. 그런데도 진시황은 49세의 나이로 죽음을 맞이했다. 19세기의 평균 수명은 25세였고, 20세기에는 48세, 21세기에는 80세로 늘어났다. 2050년쯤에는 120~150세가 될 것이다.

이제 의학에서는 노화에 대한 많은 것을 알아냈다. 노화를 막는 방법을 찾아내지는 못했지만, 노화를 늦추는 다양한 방법을 발견한 것이다. 불로장생의 3대 법칙은 '죽지 않는 것', '병들지 않는 것', '늙지 않는 것'이다. 우리가 하루하루를 건강하게 산다면 언젠가 노화를 막을 수 있는 길이 열릴지도 모른다.

나는 노화가 진행되고 있을까?

노화를 진단하는 것은 간단한 자가 평가로 할 수 있다.

맨 먼저 피부 탄력 검사로, 피부의 노화 정도를 측정하는 것이다. 이 글을 읽고 있는 여러분도 함께 노화 정도를 진단해보자. 엄지와 집게손가락으로 손등을 5초 동안 잡아당겼다가 원상태로 복구하는 데 걸리는 시간을 측정하는 것이다. 20~30대는 1~2초,

40~50대는 2~5초, 60대 이상은 10초 이상이 걸린다.

다음은 민첩성 검사다. 엄지와 중지를 10cm 벌리고, 그사이로 30cm 자를 갑자기 떨어뜨려 잡는 데 걸리는 거리를 측정한다. 3회 측정하고 나서 평균을 내보면 된다. 보통 20~30대는 20~30cm, 40~50대는 10~20cm, 60대 이상은 0~10cm다.

신체의 통합 기능을 알아보는 신경 근육 기능 검사도 있다. 두 눈을 감고 무릎을 45도 구부린 후, 양손은 허리에 대고 왼쪽 다리를 15cm 정도 든다. 이때 발을 움직이거나 눈을 뜰 때까지 걸리는 시간을 측정한다. 5분 간격으로 3회 측정하여 평균을 낸다. 보통 20~30대는 25초, 40~50대는 10~25초, 60대 이상은 10초 이하다.

병원에서 진행하는 노화 진단 검사도 있다. 노화 정도는 4가지 생체 연령으로 측정한다. 신체 연령, 생화학적 연령, 호르몬 연령, 뇌 연령이다.

'신체 연령'은 기본 신체검사로 간단히 측정할 수 있다. 신장, 체중, 혈압, 시력, 청력, 근력, 비만도, 운동 능력 검사, 운동 부하 검사, 피부 노화도 검사 등이 있다. '생화학적 연령'은 기본 혈액 검사, 소변 검사와 대변 검사로 측정할 수 있다. '호르몬 연령'은 혈액 내 각종 호르몬 수치로 측정하는데, 노화 관련 7가지 호르몬을 측정하는 것이다. 항산화 검사, 면역 기능 검사, 종양표지자 검사, 모발 검사 등이 있다. '뇌 연령'은 뇌 기능 검사로 측정한다. 신경인지 검사(기억력과 집중력), 신경 뇌파 검사, 스트레스 검사, 우울증 검사, 치매 유전자 검사 등을 거쳐 뇌 연령을 측정할 수 있다.

노화, 잡히느냐 잡느냐의 문제

몇 년 전부터 '동안' 열풍이 불고 있다. 화장품은 물론 패션, 액세서리, 헤어 등 '동안'을 내세우지 않은 제품이 없으며, 많은 사람이 이 제품에 지갑을 기꺼이 연다. 그렇다면 과연 겉모습을 꾸미는 것만으로 동안이 될 수 있을까? 겉모습보다는 노화를 방지하고 치료를 통해 신체의 '동안'을 잡는 것이 먼저다.

노화 방지 치료에는 호르몬 보충요법이 있다. 누구나 나이가 들면 호르몬이 감소하면서 노화가 촉진된다. 그러니 호르몬을 보충하는 것은 매우 중요하다. 호르몬 보충요법은 노화를 지연시키거나 회춘하게 한다. 대표적인 노화 방지 호르몬으로는 7가지가 있지만, 임상에서 가장 많이 적용하는 3가지는 성장 호르몬, DHEA(스테로이드 호르몬), 성호르몬이다.

성장 호르몬은 '호르몬의 왕'이라고도 한다. 성장 호르몬은 40대 이후 급격히 줄어든다. 그래서 이 시기에 노화를 지연하려고 성장 호르몬을 투약하는 사람들이 많아진다.

DHEA는 인류의 불로초로 알려져 선풍을 일으킨 호르몬이다. 1994년 모랄스 박사와 옌 박사가 DHEA를 중년을 실험 대상자로 삼아 하루 50mg씩 3달 동안 투약하는 실험을 했다. 실험 결과는 놀라웠다. 참여자 모두가 기운이 넘치고, 잠을 푹 자며, 긴장이 이완되고, 스트레스 대처 능력이 눈에 띄게 좋아졌다. 이 연구 발표로 DHEA에 대한 대중적인 관심이 폭발하였으며 '젊음의 샘', '현대인의 불로초'로 알려지게 되었다.

성장 호르몬

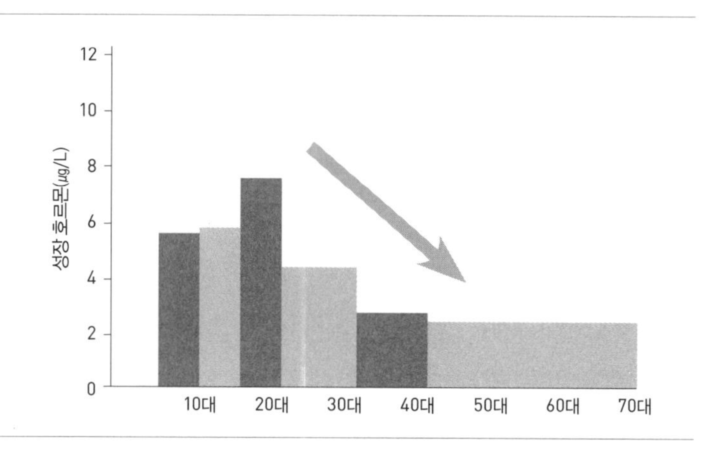

이처럼 DHEA는 심장병 발생률과 몇몇 암의 발생률을 감소시킨다. DHEA는 안정감을 개선시키는데, 긍정적인 가치관과 태도는 건강을 개선시키는 것으로 알려져 있다. 더불어 DHEA는 성욕을 증가시키며 기억력을 강화시켜주고 그 밖에 다양한 노화 방지 효과가 있다.

여성 호르몬(에스트로젠)은 노화를 방지하고 수명을 연장하는 보조제로서 현재 가장 많이 처방하고 있는 여성 호르몬이다. 그렇다면 에스트로젠은 어떤 효과가 있을까? 갱년기 증상을 호전시키며 피부 탄력을 회복하는 데 도와준다. 심혈관 질환과 치매, 자궁암, 대장암 등을 예방하는 데 효과가 있으며 골다공증을 치료하는 데도 도움을 받을 수 있다.

무엇보다도 여성 호르몬을 투여하면 노화를 예방할 수 있어 삶의 질이 높아진다. 호르몬 제제는 다른 질병이나 약제와 상호작용할 수 있다. 조금만 사용해도 강력한 효과가 있지만, 자칫하면 균형이 깨져 암 같은 병을 유발할 위험성이 있다. 따라서 전문가와 상담하고 검사를 한 후에 신중하게 사용한다.

한편, 갱년기가 찾아오면 세포에 해로운 자유기, 즉 프리라디칼(활성산소)을 제거하기 위해 항산화제를 반드시 복용해야 한다. 나이가 들면 몸 안에 항산화제의 양이 줄어들고 기능도 자연스럽게 떨어진다. 항산화제는 노화를 방지하는 데 아주 탁월하다. 항산화제는 면역 기능을 강화하고 암이나 심장병, 중풍을 예방하는 것으로 알려져 있다. 대표 항산화제는 무엇이 있을까? 베타카로틴과 ACES를 꼽을 수 있다. ACES는 비타민A, 비타민C, 비타민E, 셀레늄을 뜻한다. 하버드대학의 연구에 의하면 비타민A, 비타민C, 비타민E를 동시에 복용하면 심장병에 걸릴 위험이 50%나 줄어든다고 한다.

서양의 보약으로 알려진 태반에는 태아의 일부이지만 다량의 성장 인자와 인터루킨(몸 안에 들어온 세균이나 해로운 물질을 면역계가 맞서 싸우도록 자극하는 단백질)이 들어 있다. 이 태반은 세포를 성장시키는 효과와 항산화 효과가 있다. 더불어 면역을 강화하는 데도 도움을 주며 미백 보습 효과 등도 있어 노화를 방지하는 데 작용한다. 진시황은 불로장생을 위해서, 클레오파트라는 피부 미백을 위해서 태반을 사용했다는 기록이 남아 있다. 여기서 말하는 태반은 양 태반과 식물 태반을 주로 사용하며 주사용과 경구용이 있고 부작용은 없다.

불로장생, 노화 방지부터

불로장생 10계명은 이렇다.

*큰 차를 운전한다.
*매일 운동한다. 중간 정도의 강도로 하는 것이 좋다.
*탄수화물과 지방 섭취를 줄인다(절식).
*물을 많이 마신다.
*잠을 충분히 잔다.
*금연하고 금주한다. 소량의 알코올을 섭취하는 것은 괜찮다.
*일을 적당히 하고 스트레스를 해소한다.
*암과 심장병을 조기 발견하려면 매년 신체검사를 잊지 않는다.
*50여 가지의 노화 방지 약제, 즉 각종 호르몬, 항산화제, 비타민, 뇌 기능 개선제, 미네랄 등을 복용한다.
*항상 젊다는 생각을 하며 젊은 사람들과 어울린다.

노화는 어쩌면 오랫동안 우리 뇌에 박힌 고정 관념일 수 있다. 태고로부터 전승된 우리의 잘못된 관념 말이다. 이제 인식을 바꿀 때다. 예정론은 잘못된 것이다. 인간에게는 자유의지가 있고 우리는 노화를 극복할 수 있다. 불로장생할 수도 있다. 언젠가 영생하는 날이 올 것이다.

아침마다 일어나 거울 앞에 섰을 때 이렇게 큰 소리로 외치는 것이다. 우리 안에 잠든 거인을 깨우는 것처럼. 잠재의식은 항상 긍정문에만 반응한다.

"나는 늙지 않는다"는 부정문이다.

3P 즉, Personal, Present, Positive가 아주 중요하다. 이렇게 긍정문으로 외치자.

"나는 젊다. 나는 젊다. 나는 충분히 젊다. 나는 불로장생한다."

섹스가 두려워:
성

성(性)은 창조주가 우리에게 내린 축복이다. 바다와 육지는 온통 생물로 가득하다. 이 모두 성의 산물이다. 우리는 어린 시절 다양한 관심과 호기심을 가지고 하루하루를 보냈다. 하늘에 떠다니는 흰 구름, 땅 위를 기어가는 개미, 신기한 모양의 돌멩이, 고사리손 같은 빨간 단풍 등 자연을 하나하나 관찰하면서 말이다.

어느 날, 몸에 성호르몬이 돌기 시작하면 우리의 관심과 호기심은 오직 하나로 집중된다. 모든 에너지가 남자는 여자에게로, 여자는 남자에게로 향한다. 서로 가슴이 뜨거워지고 속이 달아오르는 것을 느낀다. 이렇게 우리는 성을 통해 창조되었고, 성을 느끼는 순간부터 성적인 존재로 살아가도록 창조되었다.

남성과 여성이 서로 끌리는 것은 지극히 자연스러운 현상이다. 남녀가 함께 데이트하는 것은 숨겨야 하는 음성적 행동이 아니다. 드러내놓고 해도 되는 아주 자발적인 행동이다. 남녀의 교합은 부끄러운 행위가 아니다. 대담하게 치러야 할 성스러운 행위다.

우리는 과연 성(性)이란 도구를 제대로 사용하고 있는 것일까? 많은 사람이 성의 작동 기전을 몰라 당황한다. 성의 기능에 무지하다. 현대인들은 성을 단지 스트레스 해소용 도구로 사용한다. 성을 오락이나 놀이 도구로 사용하기도 한다. 성을 지나치게 억압하거나 지나치게 남용도 한다. 성중독에 빠져 허우적거리는 일도 있다. 그렇다면 성을 어떻게 다루는 것이 가장 바람직할까? 성에는 또 다른 신비가 감추어져 있는 것은 아닐까?

복잡한 성

성의 기능은 복잡하다. 뇌의 성욕 중추와 중추신경계, 교감과 부교감 신경, 근골격계가 총체적으로 작동한다. 성 반응 주기는 성욕기, 흥분기, 절정기, 해소기 등 4단계로 나뉜다. 성욕기는 성행위와 성적인 관심에 대한 생각이 일어나는 시기고, 흥분기는 쾌락에 대한 주관적 감각과 성적 각성에 관련된 신체적 변화를 보이는 시기다. 절정기는 흥분이 최고조로 달하는 상태로 신체적 변화가 뚜렷이 나타나며, 해소기는 근육의 이완과 심리적 만족으로 나타난다.

한편, 성기능장애는 4가지 성 반응 주기에 따라 발생하는데 남녀 간에 차이가 있다. 다양한 성기능장애의 주된 원인은 대부분이 심리적인 것이다. 잘못된 성 지식이나 이에 따른 죄책감, 오랜 성적 억압과 금욕 생활도 원인일 수 있다. 어린 시절에 겪은 성적 학대나 성에 대한 좋지 않은 경험도 원인으로 꼽을 수 있다. 부부간에 일어나는 갈등과 불화, 특히 미움과 적대감은 성기능장애를 일으키는 강력한 원인 가운데 하나다. 그 밖에 우울, 불안, 공포, 강박 등의 정신질환, 부적절한 신체 이미지, 지나친 성에 대한 기대감, 과도한 성행위, 동성애적 충동 등이 있다.

성욕장애는 보통 성욕 감퇴를 가리킨다. 지속적으로 성적 욕구가 없거나 부족한 경우를 말한다. 성욕은 연령, 건강 상태, 생활 환경, 성행위 유형과 관련이 밀접하다. 보통 인구의 20%가 성욕장애를 경험하며, 사회적으로 억압받는 여성에게 더 많이 나타난다.

흥분장애에서 가장 대표적인 것을 꼽으라면 남성의 발기부전증이다. 성적 흥분이 지속적으로, 반복적으로 장애를 받는 경우다. 발기력이 약하거나 유지가 되지 않아 성행위를 성공적으로 끝내지 못한다. 보통 성적 자극을 받으면 발기가 되지 않는 경우는 드물다. 대부분 일단 발기가 되더라도 질 삽입을 시도하면 곧 이완되어버리거나, 삽입되더라도 곧 이완되는 부분 발기부전증이다. 발기부전증은 본인이나 파트너에게 심각한 심리적 갈등을 유발한다.

발기부전증의 원인은 기질적·복합적 원인도 있지만 대부분 심리적인 것으로 본다. 발기부전을 유발하는 대표적인 생활 속 요인은 음주와 흡연, 불규칙한 식생활 습관을 들 수 있다. 비만과 운동이 부족하다거나 스트레스를 심하게 받는 생활도 발기부전에 적지 않은 영향을 끼친다. 최근에는 20~30대의 젊은층에서도 발기부전 증상을 호소하는 환자들이 점점 늘어나는 추세다. 발기부전 치료제는 비아그라가 선풍을 일으킨 후 많은 경구용 치료제가 개발되었고, 그 효과가 뛰어나 남성들이 만족하고 있다.

흥분장애는 여성의 경우, 약 15%에서 나타난다. 적절한 성적 자극에도 지속적, 반복적으로 흥분되지 않는다. 이런 여성은 성관계나 성적 자극에 쾌감을 느끼지 못한다. 성관계를 즐기기보다는 고통스러워하며 성관계를 회피하는 경향이 있다. 성행위 중에도 몰두하지 못하고 자신이 흥분되지 않는다는 사실을 드러내지 못하며, 성관계가 빨리 끝나기만 기다린다. 왜 그럴까? 대부분은 심리적인 원인이 크다. 약물 복용으로 신체에 변화가 생겼거나, 당뇨나 위축성 질염 등 신체적인 질환 때문에 흥분장애를 겪을 수 있다. 출산하면서 생긴 질과 골반 근육의 이완 등 기질적인 문제도 있을 수 있다.

오르가슴장애는 성적 흥분 상태에는 도달하나 그 뒤의 절정감이 지속적, 반복적으로 결여되거나 지연되는 경우다. 남성이 겪는 대표 오르가슴장애는 지루증이 있다. 지루증은 적절한 성적 흥분 상태에 도달해도 그 뒤에 따르는 사정이 지연되거나 잘되지 않는 상태를 일컫는다. 대부분 심리적 원인이 크다. 척수 손상, 교감신경계 손상, 당뇨병, 술이나 진정제 등의 약물 복용 등의 기질적인 원인도 있다. 특히 불안, 긴장, 죄책감을 없애는 것이 바람직하다. 성적 흥분을 감소시키는 '정신적 산만함'을 없애는 것도 좋다. 보통 질 외부에서 남녀가 서로 성기를 자극하여 사정감에 도달시킨 후 곧바로 성관계에 들어가 마무리하는 방법을 반복 시도하면 약 80%는 치료하는 데 성공할 수 있다. 약물치료로는 교감신경 흥분제를 사용한다.

조루증은 사정장애에 속한다. 남성 성기능장애를 호소하는 환자의 60~70%를 차지하는 가장 흔한 병이다. 보통 연령과 무관하게 남성의 30~50%에서 나타나는 현상이기도 하다. 남성이 사정 조절 능력이 부족하여 자신의 배우자가 만족하기 전에 일찍 사정하는 증상을 일컫는다. 조루증은 질 내 삽입 후 5분 이내 사정하고 질 내 삽입 시에 사정을 지연시킬 수 없으며, 이러한 증상으로 인해 고민하고 결국 성적 관계를 기피하는 등 부정적인 자존심으로 정의된다.

조루증의 원인은 대부분 심리적인 것이다. 그래서 치료 대부분이 정신의학적으로 접근해왔다. 하지만 사정을 유발하는 모든 자극이 조루증의 원인이 될 수 있다. 사람마다 조루의 판단 기준이 달라질 수 있지만 대부분 복합적인 원인에 의해 조루증이 생기므로 치료도 복합적으로 접근한다.

일반적으로 조루증을 치료하는 3단계 행동치료법은 이렇다.

*사정이 가까워졌다는 느낌이 들면 빨리 음경을 뺀다.
*엄지손가락을 위로, 검지와 중지를 아래로 하여 귀두와 음경이 만나는 부위를 움켜잡고 힘껏 누른다.
*사정 충동감이 지연된 후에 성행위를 계속한다.

갱년기장애는 남자나 여자 모두 성호르몬이 감소하면서 성 기능이 떨어진다. 여성은 폐경기와 더불어 급격하게 진행되어 변화를 쉽게 느끼지만, 남성은 그렇지 않다. 남성 호르몬은 주로 고환에서 만들어지는데 20대 때 가장 왕성하게 분비되며 40대 이후 점차 활성도가 감소한다. 하지만 대부분 남성은 자신에게 갱년기가 찾아오더라도 단순히 피로 누적이라고 생각한다. 실제로 갱년기로 인한 성기능장애가 나타나더라도 그 심각성을 인식하지 못하는 경우도 많다. 성욕이 감퇴하거나 야간에 발기가 잘 안 되거나 발기력이 감소하는 등의 증상이 나타난다.

금기된 성의 억압과 중독

우리나라 사회에서 성은 여전히 금기시되고 억압되어 있다. 성의 생물학적 측면에만 관심을 두고 육체적인 성관계를 성의 모든 것으로 여긴다. 성은 쾌락적이고 유희적인 것이며, 성을 표현하는 것은 음란하고 부정적인 것으로 여기는 것이다. 아이러니한 것은 사회적으로 금기하는 성이 음성적으로는 오히려 활성화되었다는 것이다. 우리는 현재 '성의 금기 사회' 속에서 '성의 홍수 시대'를 살고 있다고 해도 과언이 아니다. 성을 표현하는 것은 인간 본능에 충실한 행위이므로 금지하고 숨길수록 오히려 음성적으로 나타난다.

한국성과학연구소는 1997년부터 5년마다 성인 남녀를 대상으로 성 관련 조사를 해왔다. 한국성과학연구소가 내놓은 최신 자료를 들여다보자. 남성 기혼자 20명 중에서 3명이 애인이 있고, 10명 중 8명이 혼외정사 경험이 있으며, 결혼 생활을 하는 데 불만의 원인 중 40%가 성 문제이고, 10%에서 변태 경험을 보고했다.

2010년 여성성담론사이트에서 조사한 자료에 의하면 여성의 41%가 첫 키스를 20살 전에 경험하고, 80% 이상이 결혼 전에 첫 경험을 하며, 15%가 남성과 만난 지 한 달 만에 경험하고, 가임기 여성의 절반은 오르가슴을 경험한 적이 한 번도 없다고 한다. 여성의 10%는 결혼 직전에 파혼하더라도 임신이 되었다면 아이를 낳겠다고 하고, 28%가 처음 만난 이성과 하룻밤 성관계를 할 수 있다고 한다.

현대 사회는 인터넷이 발달해 지식을 공유하고 하루가 다르게 성 의식이 바뀌어가고 있다. 남성뿐 아니라 여성들도 성에 대해 더욱 담대해지고 노골적으로 변하고 있다. 이제는 성 억압보다는 성 중독이 사회적 이슈인 시대가 온 것이다.

우리는 성욕이 지나치게 강해 많은 성관계를 갖는 남자를 변강쇠라고 부르고, 여자가 성욕이 강하면 옹녀라고 부른다. 오랫동안 지나친 성적인 행동을 하는 것이 실제로 알코올중독이나 도박중독과 비슷한 것이 아닌가에 대해 많은 논란이 있었다. 하지만 오늘날 성중독은 단순한 강박적 성행위가 아닌 일반 중독증만큼 심각한 질환으로 취급되고 있다. 성중독의 특징은 다음과 같다.

*성적인 충동에 대해서 통제력을 잃는다.
*본인은 부정하지만, 성적인 행동에 의해 스스로 피해를 경험한다.
*자신의 다른 삶의 영역에서도 통제력을 잃는다.
*시간이 지나면서 성적인 행동이 증가한다.
*성관계가 끝나면 철회의 증상을 보인다.

성중독 사이클

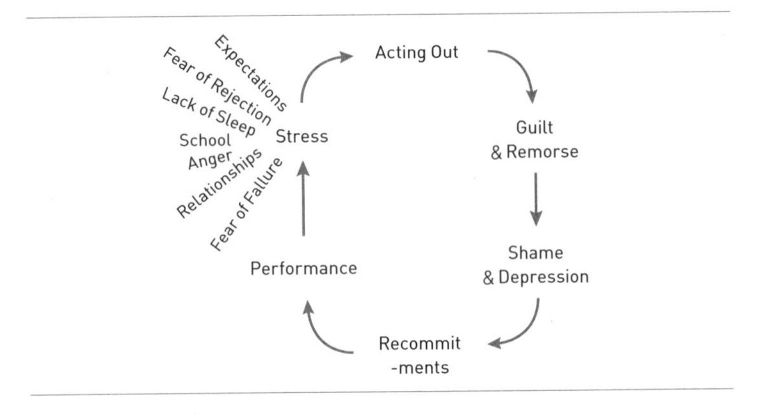

성중독자들은 보통 알코올중독자와 비슷한 핵심 신념이 있다.

"나는 무기력하다."
"나는 항상 외롭고 쓸쓸하다."
"나는 항상 버림받았다."
"나의 신체는 창피스럽고, 부족하고, 결점이 있다."
"아무도 나를 있는 그대로 사랑하지 않는다."

성중독자들은 심리적인 불안과 고통을 성적 행동을 통해 해소한다. 섹스와 사랑을 동일시하는 것이다. 누군가와 섹스를 할 때만 사랑하고 있다는 착각을 한다. 성중독자들은 전형적인 사이클을 보인다.

첫째, 섹스에 대한 집착 단계다. 이 단계에서는 심리적인 불안과 고통을 회피하거나 해소하기 위해 특정한 성 행동에 대한 집착을 보인다. 이를테면 타인 앞에서 자신을 노출하는 중독에 빠진 사람은 어떻게 자신의 성기를 노출할 것인가에 관해서 마음속으로 상상한다. 여러 여자와 성관계를 맺는데 중독이 된 사람은 여성에게 접근해서 성관계 맺는 것을 상상하고, 그러한 상상을 하면서 성적인 흥분을 느끼기도 한다.

둘째, 습관적 행동으로 옮기는 단계다. 성기 노출 중독자는 그 장소를 물색하기 위해 골목길을 배회한다. 성관계 중독자는 여성들을 쉽게 사귈 수 있는 술집, 바, 창녀촌 등으로 발길을 옮긴다. 신체 접촉 중독자는 사람이 붐비는 전철을 타러 나가기도 한다.

셋째, 성 행동의 단계다. 이 단계에서는 실제로 본인이 의도했던 성 행동을 표현한다. 골목길에서 자신의 성기를 내놓고 자위행위를 하기도 한다. 본인이 계획했던 여성을 끌어들여 성관계를 맺기도 한다.

넷째, 자포자기 단계다. 성중독자들은 성관계나 성행위가 끝나면 스스로 후회와 죄책감, 우울과 수치심에 곧장 빠져버린다. 그러면서 심리적인 불안과 고통을 해소하기 위해 첫 단계를 다시 시도하게 되는 것이다. 결국, 성중독의 사이클을 반복하게 된다.

오늘날 성중독 문제로 실제로 고통을 받고 있는 사람들이 많다. 성중독은 배우자의 결점 때문에 외도하는 현상이 아니다. 성중독은 심리적 갈등이나 고통을 섹스로 풀어보려는 시도다. 단순히 성적인 행동만 문제되는 것이 아니다.

성중독자들은 마약중독자가 마약에서, 알코올중독자가 술에서 얻는 것과 같은 만족을 추구한다. 자신의 삶에서 다른 것과는 비교할 수 없는 강한 쾌감을 느껴서 자신의 고통스러운 감정들을 마비시킨다. 자신의 삶 속에서 겪고 있는 압박감과 일상생활의 문제를 탈출하려고 시도한다. 쾌락과 더불어 현실을 탈출하고 싶은 동기가 강해 이러한 심리 상태를 거부하기란 정말 어렵다. 성중독자들은 반복되는 행위를 중단하고 싶지만 결국 실패한다. 다시는 성 행위를 하지 않겠다고 선언하지만, 중독 행위를 멈출 수 없다.

성중독은 쉽게 통제하기 어렵다. 그래서 반드시 치료해야 하는 질환이다. 성중독에서 벗어나려면 전문가의 도움을 받아야 한다. 성중독의 원인은 다양하다. 그러니 개인 상담, 부부 상담, 집단 상담 등 다양한 방법으로 접근하는 것이 좋다. 약물치료로는 나트렉손 같은 중독 억제제가 있다. 성중독의 가장 탁월한 치료법은 익명의 지지자 모임이다. SA(Sexholics Anonymous), SAA(Sex Addicts Anonymous) 등이 있다.

성의 예식

1960년대 서양에서 시작된 성 혁명으로 섹스에 대한 접근의 폭이 넓어졌다. 성 혁명은 혼외정사를 금기시하는 청교도적인 태도에 대한 반항이었는데, 결과적으로 프리섹스만 성행하게 되었다. 결국, 성 혁명을 통해 많은 사람이 많은 방법으로 많은 파트너와 많은 성관계를 함으로써 다양한 경험을 하게 되었다. 소위 섹스 전문가들이 대거 등장하기 시작했다.

성에 관한 수많은 책과 논문들은 '강렬한 오르가슴에 이르는 길'에 대해 보고했다. 심지어 마치 책 1권으로 섹스를 마스터할 수 있을 것처럼 말하는 사람들도 나타났다. 무언가 새로운 것이 있는 것처럼, 대단한 성 테크닉을 아는 것처럼 말한다. 많은 학자가 지적해왔듯이 그런 섹스는 신체적으로나 심리적으로 오르가슴의 만족감을 연장시키지 못한다.

이제 '성의 예식'에 참여해보자. 여러 준비와 절차를 거쳐야 한다. 피곤하여 반쯤 졸린 상태에서 성관계하는 동물은 없다. 기운이 넘치는 한가한 늦은 저녁, 소꿉장난을 시작하는 아이처럼, 아무 생각 없는 동물처럼 신비로운 성의 예식을 기획하는 것이다. 몸 안에서 꿈틀거리는 사랑의 욕망에 불을 켜보는 것이다. 남성은 보통 시각적 자극에 민감하게 반응하고, 여성은 전체적인 분위기나 청각적 자극에 대해 더 민감하다.

하늘거리는 촛불을 켜보자. 어슴푸레한 조명도 좋다. 와인 한 잔을 곁들이는 것도 좋겠다. 싱그러운 아로마 향기가 분위기를 고조시킬 수 있다. 평소에는 쓰지 않던 향수 한 방울이 몸 전체를 진동시킬 수 있다. 잔잔한 현악기의 선율이 머리와 가슴을 활짝 열어줄 것이다.

이제 남녀가 벌거벗은 채 서로의 몸을 물끄러미 바라본다. 의자에 앉아서, 침대에 반쯤 기대서, 바닥에 편안히 누워서 아니, 자유로운 위치에서 서로의 몸을 구석구석 감상한다. 전기 코드를 꽂은 커피포트에서 물이 끓기 시작하는 것처럼 몸 안에서 서서히 흐르기 시작한 기운이 이내 몸 전체를 휘감는 느낌을 받을 것이다. 상대의 손을 살포시 잡아볼 수 있다. 상대의 가슴과 배에 손바닥을 얹어본다. 서로 발등을 겹쳐보기도 하고, 종아리와 허벅지를 교차시켜본다. 전류가 흐르는 두 동선이 나란히 연결된 경우에 자장이 발생하듯이, 온몸에 더운 기운이 오르면서 숨은 깊어지고, 따뜻한 애정이 솟아오르는 것을 느끼게 될 것이다. 이렇게 15분, 30분, 1시간 동안 알몸으로 누운 채 '아무 일 없이' 잠을 청한다 하더라도 아침에 뿌듯함과 상쾌함을 맛볼 것이다.

두 육체의 결합으로 이어져도 좋다. 이때 영화 속의 슬로 모션처럼 천천히 전진함으로써 미세한 감각을 하나하나 맛보는 것이 중요하다. 성은 체육 과목이 아니다. 미학이다. 때때로 동작을 멈추고 호흡의 수를 셀 수도 있다. 빠름과 느림, 강함과 부드러움의 조화를 연출해본다. 6번 얕게 넣고, 1번 깊게 넣고, 가만히 있으면서 고요함을 느껴본다. 9번 얕게 넣고, 1번 깊게 넣고, 가만히 있으면서 정적을 느껴본다. 생각 없이도 의식이 깨어 있다는 것이 무엇인지 알게 된다. 점차 고양되는 의식을 느끼게 된다. 서서히 내면으로부터 폭발하는 황홀함을 경험하게 된다. '다 이루었다!'는 완성감이 몰아쳐 온다. 온몸이 전율하고 그 가운데 내가 없어지는 것을 체험하고, 눈을 감은 상태에서 빛을 보는 수도 있다. 이 순간 죽는다 해도 여한이 없다는 생각이 스친다. 이때 몸 안의 정자를 분출한다면 자연이요, 호흡을 의식함으로 느긋이 넘어선다면 초자연이다. 전자는 깊은 수면으로 들어가 예시적인 꿈이나 천연색 꿈을 꾸게 된다. 의식이 맑아지고, 존재의 깊이로 하강했기 때문이다. 원기가 신속히 재충전되어 흔히 있는 후회감이나 죄책감이 일어나지 않는다. 후자는 자신이 입자가 아닌 파동 같은 에너지의 장인 것을 체험하게 된다. 풀잎 하나, 모래알 하나, 별 하나, 모두가 동일한 에너지의 파동임을 인식하게 되고, 우주와 하나 되는 합일의 지경을 예감하게 된다. 이런 최상의 '성의 예식'을 마치면 꿈 없는 수면으로 접어든다. 의식이 투명해지고, 일체의 꿈을 깬 전체와 하나가 되었기 때문이다. 날개 치는 독수리처럼 원기가 솟아난다. 그리고 홀연히 사람으로 태어난 것이 더없이 고맙고 신비스럽게 느껴진다.

충만감으로 가득 찬 성

성은 스트레스와 피로를 푸는 목적으로 사용하는 도구가 아니다. 오히려 피곤을 가신 다음에 신나게 노는 아이들처럼 호기심과 집중력과 정열을 장시간 쏟아 상쾌함을 얻을 놀이로 사용하는 도구다. 나아가 예배처럼 절도와 고요와 정성을 기울여 충만감을 얻는 데 쓸 수 있는 예식이다. 우리는 '자주 짧게' 하는 성적인 관습에서 벗어나 '가끔 길게', '아주 천천히' 할 수 있는 예식으로 바꾸어야 할 것이다.

나그 하마디 항아리에서 발견된 성경에 이런 말이 있다.

"젖을 빠는 갓난아기들은 하나님 나라에 들어가는 사람과 같다. 너희가 둘을 하나로 만들 때 안과 밖을 하나로 만들 때 위와 아래가 같아질 때 남성과 여성이 하나로 합쳐질 때 하나님 나라에 들어갈 수 있다."

과거 탄트라 예식에 건강한 남녀가 강가 화장터에서 온종일 '아주 길게' 하는 성적인 행위가 있었다고 한다. 둘은 한낮에 뜬 태양과 한밤중에 뜬 별들을 바라보며 긴 오르가슴으로 들어갔을 것이다. 강바람을 타고 흘러드는 죽음의 냄새를 맡으면서 무아지경에 빠졌을 것이다. 붉은색, 누런색, 갈색으로 화려하게 물든 낙엽처럼 마지막 아름다움을 불태웠을지 모른다.

탄트라는 남녀 간의 교합, 자연과의 교감, 죽음과의 조우를 통해 궁극적인 합일(도)의 경지를 체험하는 종교 예식이다. 탄트라는 어쩌면 중앙 시스템과 연결된 샤워 꼭지에서 더운물이 나오는 것처럼 성을 신과 소통하는 도구로서, 활주로를 지나 광활한 하늘로 날아오르는 경비행기처럼 영생하는 도구로 사용했을 것이다.

누군가가 이런 말을 했다.

"인생에는 4개의 산봉우리가 있다. 어두운 모태에 있을 때, 묵상에 침잠할 때, 남녀가 몸을 섞을 때 그리고 몸과 감각을 벗어버리는 죽음이다."

III
치유의 심리학

마음의 짐 내려놓기:
파도 프로그램

한 나라의 왕이 병들어 죽어가고 있었다. 왕은 모든 권력과 재력을 가졌지만 죽음 앞에서는 그 어떤 것도 소용없었다. 불안을 넘어서 두려움과 공포, 공황 상태로 들어갔다. 어릴 적부터 친하게 지냈던 도인 친구가 임종을 보러 찾아왔다. 큰 홀에는 단둘이 있었고 사방이 조용했다.

먼저 침묵을 깬 건 왕이었다. 왕은 죽음이라는 공포에 떨면서 친구에게 물었다.

"대체 죽은 다음에는 무엇이 있는가? 대체 죽음 후에 무엇이 일어나는가?"

"음, 내가 죽어보지 않았는데 어찌 알겠는가?"

정신과 의사로 20년 이상 많은 환자를 치료했지만, 솔직히 내가 공황장애를 겪어보지 않았는데, 내가 우울장애를 겪어보지 않았는데, 내가 강박장애를 겪어보지 않았는데 어떻게 그 고통을 다 이해할 수 있을까?

하지만 오랜 임상 경험과 간접 경험을 토대로 '파도 프로그램'을 내놓게 되었다. 파도 프로그램은 Panic(공포), Anxiety(불안), Depression(우울), Obsession(강박)의 첫 글자를 따 'PADO'라고 지었다. 이는 모든 신경증 증상 극복을 위한 프로그램이다.

삶을 억누르는 공황장애

공황장애는 심한 공황발작과 발작이 일어날 것 같은 예기불안이 특징이다. 전체 인구의 1.5%에서 발병하는데, 스트레스가 많은 현대인에게 점점 증가하는 정신질환이다.

공황발작은 보통 정신적 충격이나 심한 신체적 스트레스, 대인관계 갈등이 원인이 될 수 있다. 현대인들에게는 프레젠테이션과 면접 등으로 '발표 불안' 증상이 나타나기도 한다. 공황발작은 인구의 30%에서 평생 한두 번 경험하는데 공황장애를 제대로 치료하지 못했을 경우 광장공포증을 비롯한 다양한 공포증, 알코올중독, 우울증으로 발전한다.

공황장애는 한마디로 요약하면 '뇌 기저핵 공포 반응의 문턱이 낮아져, 작은 외부 자극에도 극심한 긴장 반응이 유발되는 현상'이다. 공포 반응에 대한 센서의 고장이라고 볼 수 있다. 공황장애의 출발은 유전적·체질적 뇌 문제라고 할 수 있다. 몸에 병이 있는 것도 아니고, 마음의 병이 생긴 것도 아니다. 그러나 공황장애가 유발되면 감정, 생각, 행동, 성격 등 '마음의 장애'뿐 아니라 다양한 신체 증상을 동반하는 '몸의 장애'가 동시에 나타나 몸과 마음의 병이라고 할 수 있다. 이것은 공포, 불안, 우울, 강박에도 비슷한 원칙으로 적용된다. 용수철이 어느 이상으로 늘어나면 돌아오지 않는 것처럼, 몸의 증상과 마음의 증상이 오래되면 나름의 독립성이 생겨 만성병, 고질병 같은 양상을 띠게 된다. 그러므로 공황장애와 공포, 불안, 우울, 강박을 극복하기 위해서는 핵심 병소인 뇌를 직접 공략하는 것도 중요하지만 '몸과 마음 모두를 공략하는 치료 방법'을 적용해야만 한다.

간단한 불안발작은 공포증을 유발하는 장소나 발표 등의 불안한 상황을 회피하는 방법으로 극복할 수 있다. 음악 듣기, 산책하기, 전화 걸기 등 주의를 분산시켜 이겨낼 수 있다. 진정제나 술을 마셔도 가라앉는다. 하지만 이런 방법은 일시적으로 도움을 줄 뿐이다. 자신의 상태에 따른 치료법을 찾고 실천하는 것이 좋다. 공황장애를 치료하는 방법은 크게 몸에 적용하는 치료법과 마음에 적용하는 치료법으로 나뉜다.

'몸 치료법'은 어떻게 하는 것일까? 라이프 스타일 바꾸기, 행동 바꾸기, 신체 조절 훈련 등이 있다. 라이프 스타일 바꾸기는 아주 중요하다.

한 사람이 수년간 앓는 두통으로 찾아왔다. 그 사람은 항상 정장에 넥타이를 매는 습관이 있었다. 의사가 물었다.

"당신이 앓는 두통의 원인은 꽉 잡아맨 넥타이입니다."

공황장애 치료법

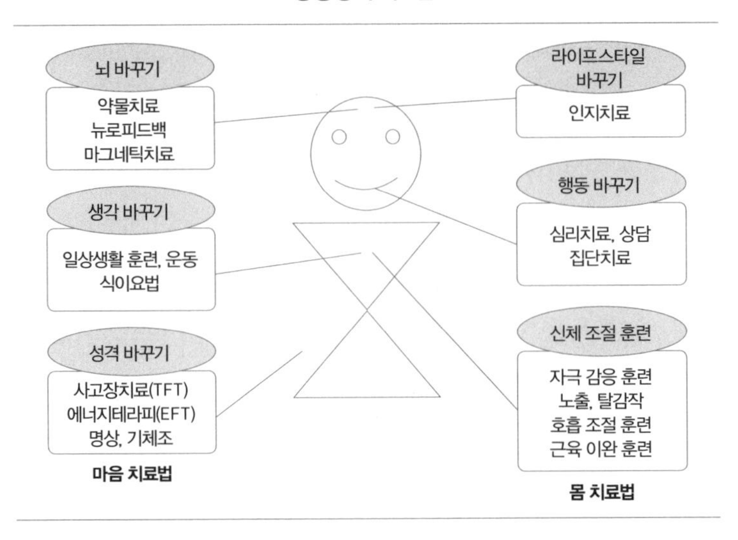

아주 흔한 잘못된 습관이 병을 일으키는 경우가 많다. '걷기 운동' 하나만으로도 노이로제 증상의 상당 부분이 해결되기도 한다. 여러 연구 결과에 의하면 주 4회 30분 '걷기 운동'으로 우울증의 80%가 해소된다고 한다. 규칙적으로 걷기 운동을 하면 몸무게를 10kg 이상을 조절할 수 있으며 10년 이상의 항노화 효과가 있다. 물론 걷기 운동으로 발기부전의 70%를 해소할 수 있다.

'마음 치료법'으로는 뇌 바꾸기, 생각 바꾸기, 성격 바꾸기가 있다. 뇌 바꾸기는 약물치료, 뉴로피드백, 마그네틱치료가 있다. 약물치료는 뇌의 생화학적인 현상 즉, 신경전달물질의 균형을 통해 마음의 안정을 찾는 방법이다. 가장 효과적인 치료법이기는 하지만 장기적인 약물의존 현상을 유발할 수 있다. 생각 바꾸기는 인지치료라고 부른다. 성격 바꾸기는 심리치료, 상담, 집단치료가 있으며 명상과 기체조도 매우 효과적이다.

이렇게 치료법이 다양하다는 것은 한 가지 방법으로 확실하게 치료할 수 있다고 보장할 수 없다는 말이기도 하다. 신경증은 만성병인 고혈압, 당뇨병과 속성이 비슷하다. 의사들은 고혈압과 당뇨병에도 '평생 약을 복용하라'는 처방을 하지만, 실제 상황에서는 약 복용과 함께 운동이나 식이 요법 같은 대중 요법을 병행하고 있다. 몇 가지를 잘 조합하여 적용할 때, 한 가지를 적용할 때보다 시너지가 나서 탁월한 효과를 볼 수 있는 덕분이다. 특히 만성일수록 한 가지 방법으로 접근하는 것보다 다양한 방법으로 접근하는 것이 효과적이다.

상처를 치유하는 파도 프로그램

파도 프로그램의 핵심은 극복(Overcome)이다. 공황 극복, 공포 극복, 불안 극복, 우울 극복, 강박 극복 말이다. Overcome이라는 단어는 매력적인 단어다. 극복이라고도 할 수 있지만, 다른 말로 승리라고도 할 수 있다.

파도 프로그램은 단지 마음의 병을 극복하는 데 초점을 맞추지 않았다. 불안, 우울, 공포, 공황을 넘어 인생에서 승리와 성공을 기약하는 프로그램으로 개발했기 때문이다. 모든 인간은 성공 본능을 가지고 태어난다. 성공 본능은 동물의 생존 본능과 유사하다. 인간은 성공을 지향하는 동물이다. 마음의 병에서 해방되는 것도 동일한 법칙을 적용할 수 있다. 이 2가지만 실행에 옮긴다면 반드

파도 프로그램 모듈

모듈 1	파도프로그램 소개
모듈 2	나를 이해하기
모듈 3	목표와 비전 설정
모듈 4	신체 조절 훈련과 에너지 바꾸기
모듈 5	혁신적인 바꾸기 심리학
모듈 6	생각 바꾸기 Ⅰ
모듈 7	생각 바꾸기 Ⅱ
모듈 8	자극 강화 훈련
모듈 9	자신 강화 훈련
모듈 10	자신감 강화 훈련 및 총정리

시 병에서 벗어나 성공할 수 있다.

*지금 이 순간 병을 낫겠다고 결단하라!

*전문가로부터 병을 낫는 방법을 배워라!

파도 프로그램은 4개의 핵심 훈련과 10개의 모듈로 구성된다. 4개의 핵심 훈련이란 나를 이해하기, 생각 바꾸기, 신체 조절 훈련, 자극 감응 훈련이다.

'나를 이해하기'는 공황장애를 정확하게 이해하는 것이다. 공포와 불안, 우울 증상을 정확하게 이해하는 것이다. 상대를 알고 나를 알아야 승리할 수 있는 것처럼 병의 실체를 정확히 파악해야 병을 이겨낼 수 있다.

'생각 바꾸기'는 인지치료를 말한다. 인지치료는 다른 말로 '깨달음의 심리학'이라고도 한다. 하버드대학의 심리학 박사인 윌리엄 제임스는 이렇게 말했다.

"생각이 바뀌면, 행동이 바뀌고, 행동이 바뀌면 습관이 바뀌고, 습관이 바뀌면 성격이 바뀐다."

특히 부정적인 생각에서 긍정적인 생각으로 전환하는 것이 매우 중요하다. 핵심은 부정적인 생각을 잡아내는 것이다.

'신체 조절 훈련'은 무엇을 말할까? 공황장애의 주된 증상은 과호흡이다. 호흡 조절 훈련은 긴장, 불안, 공포, 공황을 극복하는 데 효과가 탁월하다. 호흡 조절 훈련은 기도나 명상과 일치된다. 근육 이완 훈련도 중요하다. 반복적인 근육 이완 훈련을 통해서 조건화된 이완으로 도달할 수 있다. 기억 이완은 집중만으로도 바로 이완하는 방법이다. 반사 이완은 '편안하다'를 떠올리는 것만으로도 신체의 모든 긴장이 사라지게 된다.

'자극 감응 훈련'은 공황 고객에게 적용되는 훈련이다. 직접적인 오감을 자극하여 공황 상태를 유발하고 이를 극복하는 것은 매우 중요하다. 실제 일상에서 자극 감응 훈련을 하는 것이 좋다. 체계적 탈감작, 노출 훈련 등이 좋은 방법이 될 수 있다. 다양한 극복 기술을 적용하게 될 것이다. 정면 돌파하는 것이 필요하다. 피하지 말고 용기 있게 도전하자.

파도 프로그램의 성공 비법은 인생의 성공 비법이기도 하다.

맨 먼저 '철저한 동기'가 있어야 한다. 가치 있는 목표와 이상도 세워야 한다. 극복과 성공에 대한 비전과 구체적인 목표를 설정하자. 목표를 설정했다면 아침, 점심, 저녁에 3번씩 외친다. 감정을 실어서 아주 크게 외친다. 잠자리에 들기 전에는 자신이 세운 비전을 상상화하고 시각화한다.

'자신감과 열정'을 갖자. 부정적인 사고에서 긍정적인 사고로 관점을 바꾸는 것이 매우 중요하다. 적극적이고 능동적인 자세로 '나는 반드시 할 수 있다, 하면 된다'는 자세를 갖자.

'지식'으로 무장해야 한다. "중세 어느 마을에서 사람들이 계속 죽었다고 한다. 원인을 알아보니 우물물을 마신 사람이 죽었다. 그래서 사람들은 우물에 귀신이 있다고 생각했다. 나중에 알고 보니 우물에 수인성 세균이 있어서 우물물을 마신 사람들이 죽은 것이었다. 물을 끓여 먹자 더는 사람이 죽지 않았다." 이 예화에서처럼 정확한 정보와 지식은 매우 중요하다. 자신의 문제를 해결하기 위해서도 정확한 정보와 지식이 있어야 한다. 자신을 정확하게 알아야 문제의 핵심을 파악할 수 있다.

다양한 공황장애 '극복 기술'도 습득하여야 한다. 가능한 한 많은 기술을 배워야 한다. 라이프 스타일 바꾸기, 자극 감응 훈련, 노출치료, 체계적 탈감작, 호흡 조절 훈련, 근육 이완 훈련, 약물치료, 뉴로피드백, 마그네틱치료, 인지치료, 심리치료, 상담, 집단치료, 사고장치료, 에너지테라피, 기체조, 명상 등 다양하다.

마지막으로 '지속적인 연습'이다. 성경에 70번씩 용서하라고 했다. 우리는 69번 연습해야 한다. 포기하지 말고, 좌절하지 말고, 끊임없이 연습해야 한다. 두렵다고 피하지 말고, 도전하고, 또 도전해야 한다. 여기서 습득한 기술을 계속해서 적용해야 한다.

부정적 감정에서 벗어나기:
에너지테라피

옛날 한 동네에 큰 성당이 있었다. 일요일마다 신도들은 대충 예배하고 강 건너 섬으로 몰려갔다. 그 섬에는 용하다는 삼형제가 살고 있었다. 자존심이 상한 신부는 어느 날 큰맘 먹고 삼형제를 만나러 나룻배를 탔다. 섬에 도착하자 허름한 차림의 삼형제가 신부를 공손하게 맞았다. 신부가 이렇게 물었다.

"당신들이 병을 고친다는 삼형제인가?"

"이 섬에는 우리밖에 없으니 그렇겠지요."

"대체 어떻게 기도를 하는가?"

"우리는 배운 것이 없어서 이렇게 합니다. 우리도 셋이요, 하느님도 셋이니 은총을 베푸소서."

신부는 삼형제가 무식하고 겸손한 것에 안심했다. 신부는 주기도문 같은 긴 기도문을 알려주고 기도 방법도 새로 가르쳐주었다. 삼형제는 어렵다면서도 열심히 기도문을 외웠다. 신부는 뿌

듯한 마음을 안고 배에 몸을 실었다. 배가 강 한가운데쯤 왔을 때 멀리서 삼형제가 소리치며 달려나왔다.

"잠깐만, 잠깐만요. 신부님, 기다려주십시오."

삼형제가 물 위를 걸으면서 달려나오는 게 아닌가.

"신부님, 기억력이 나빠서 그런지 기도문을 잊었습니다. 한 번만 더 가르쳐주십시오."

이 말을 하면서도 삼형제는 물 위에 서 있었다!

에너지테라피(EFT: Emotion Freedom Technique)는 삼형제가 행한 '기적처럼 병을 고치는 방법'이다. 기적처럼 순식간에 몸과 마음의 병에서 해방되는 것을 말한다. EFT는 직역하면 '정서적 자유를 위한 테크닉'이다. '부정적인 감정으로부터 벗어나는 비법'인 셈이다.

부정적인 감정을 날리는 EFT의 과학

EFT의 기본 전제는 다음과 같다.

*인간은 온전한 존재이며 에너지다: 인간 정의
*모든 문제의 원인은 에너지 체계의 혼란이다: 문제 원인
*에너지 체계의 혼란을 해결하여 문제를 해결한다: 치유 원리
*경락 체계와 확언을 이용한다: 치유 방법
*믿는 대로 경험한다: 창조 원리

EFT의 사명은 자기 사랑과 이웃 사랑이다. '네 이웃을 네 몸처럼 사랑하라'는 예수의 말씀을 몸소 실천하는 것이다. EFT의 키워드는 사랑, 평화, 행복, 자유, 수용, 선택, 이해, 용서, 감사, 축복, 치유, 건강, 성장, 나눔 등이다. EFT의 목적은 다음과 같다.

EFT는 정서적 자유를 추구한다. EFT는 많은 사람에게 적은 비용과 적은 노력으로 정서적인 자유를 선물한다.

EFT는 복잡함이 아닌 간단함을 추구한다. 에어컨을 사용하는데 복잡한 에어컨 구조를 이해할 필요는 없다. 간단한 사용 조작법만 알면 된다.

EFT는 건전한 회의주의를 지향한다.

중세 유럽의 캘빈 경은 이렇게 말했다.

"무거운 물체는 날 수 없다."

미국 특허청장 찰스 듀엘은 1899년 이렇게 말했다.

"발명될 수 있는 모든 것은 이미 다 발명되었다."

오늘날 이들이 한 말은 잊힌 지 오래다. 건전한 회의주의는 대단히 유익하다.

"신체의 병과 마음의 병을 치료하려면 오랜 시간이 걸린다."

사람들 사이에 뿌리박힌 신념이나 고정 관념이다. 고정 관념은 제한 신념으로 작용한다. 이는 반드시 옳은 것이 아니다. 치료될 수 있는 것이다.

EFT는 반복을 지향한다. 여러 차례 반복하면 효과가 반드시 나타날 것이다.

게리 크레이그는 이렇게 말했다.

"EFT의 궁극적인 목적은 단지 감정 조절과 치료에 머무는 것이 아니다. EFT는 사랑이고 영적인 자각이다. 부정적인 기억과 감정들이 없어져야 영적인 자각이 생긴다. 영적인 자각이 생겨야 사랑을 실천한다. 사랑은 밖에 있는 것이 아니다. 우리 내부에 가득 차야 비로소 바깥으로 흘러넘치는 것이다. 부정적 기억과 감정들은 이러한 사랑의 빛이 방사되는 것을 방해한다."

EFT 실습은 5가지로 요약된다.

*기본 과정을 기억한다.
*준비 작업의 수용 확언과 연상 어구로 가지고 있는 정서적·육체적 문제에 집중한다.
*모든 문제의 밑바닥에 자리 잡고 있는 특별한 정서적 문제에 집중하도록 최대한 구체적으로 한다.
*문제의 모든 양상이 사라질 때까지 지속적으로 실시한다.
*모든 것을 시도한다.

가장 중요한 기본 과정(Basic Recipe)을 설명하면 이렇다. EFT의 기본 과정은 아주 쉽고 간단하다. 1분이면 완성된다. 문제 확인 → 준비 작업 → 연속 두드리기 → 손등 두드리기(뇌 조율) → 연속 두드리기(반복) 순이다. EFT 효험의 핵심은 두드리기, 확언, 연상 어구에 있다.

EFT는 육체·심리·인간관계 등 모든 문제를 다룰 수 있다. 구체적으로 '문제를 파악'하는 것이 중요하다. 문제 파악을 다 하면 반드시 0점에서 10점까지 주관적 고통 점수(SUD)를 측정한다.

"이 문제가 지금 나를 얼마나 괴롭히고 있는가?"

'준비 작업'은 에너지 체계를 준비하는 것이다. 에너지 흐름에는 방향이 있다. 간혹 배터리를 거꾸로 끼운 것처럼 극성 역전이 일어날 수 있다. 에너지 흐름의 장애(저항)가 있을 수 있다는 말이다. 대표적인 에너지 장애물은 심리적 역전이다. 준비 작업은 심리적 역전을 해결하는 방법이다. 가슴 압통점과 손날 타점을 적용한다. 가슴 압통점을 문지르거나 손날 타점을 두드리면서 수용 확언을 3회 반복해서 말한다.

수용 확언 문구는 이것이다.

"나는 비록 ○○○을 갖고 있지만, 그런 나 자신을 온전히 받아들이고 깊이 사랑합니다."

수용이 잘되지 않을 때는 이렇게 말한다.

"받아들이지 못하는 나 자신을 받아들입니다."

이어 선택 확언을 할 수 있다. 선택 확언의 문구는 다음과 같다.

"나는 지금부터 과거로부터 자유를 선택합니다."

"지금부터 마음의 평화를 선택합니다."

"지금부터 편안하고 행복한 상태를 선택합니다."

"모든 것이 내 책임입니다."

'연속 두드리기'는 연상 어구를 반복해 말하면서 12개의 경혈 타점을 순서대로 5~7회씩 두드리는 것이다. 경혈 타점은 눈썹, 눈가, 눈 밑, 코밑, 턱, 쇄골, 팔 밑 등 7개 타점이다. 이어 엄지, 검지, 중지, 소지, 손날의 5개 타점 순서다. 연상 어구는 주의를 유지하기

EFT 실습

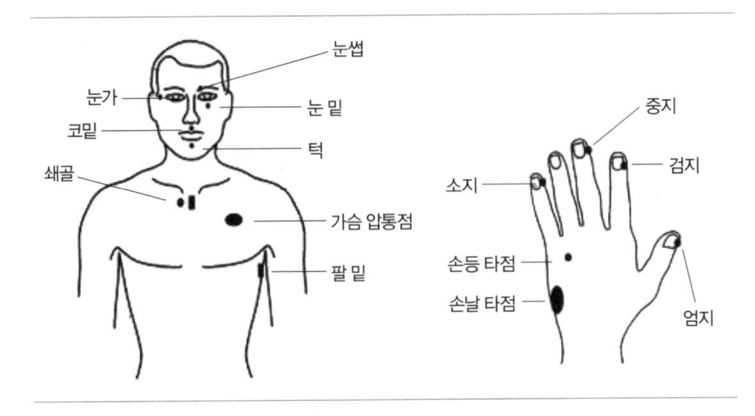

위해 사용한다. '두통', '아버지에 대한 미움'처럼 신체적·심리적 문제를 되뇌는 것이다.

'손등 두드리기'는 지속적으로 손등 타점을 두드리면서 9가지 동작(Gamut)을 하는 것이다. 다음은 9가지 동작이다. 눈을 감는다. → 눈을 뜬다. → 눈동자만 움직여서 최대한 오른쪽 아래를 본다. → 최대한 왼쪽 아래를 본다. → 눈동자를 시계 방향으로 크게 돌린다. → 시계 반대 방향으로 크게 돌린다. → 약 2초간 허밍을 한다. → 1부터 5까지 숫자를 빠르게 센다. → 다시 약 2초간 허밍을 한다.

'연속 두드리기(반복)'는 연상 어구를 반복해 말하면서 12개의 경혈 타점을 순서대로 5~7회씩 두드리는 것이다.

한 사이클이 끝나면 주관적 고통 점수를 확인한다. 아직 고통이 남아 있을 때 EFT를 다시 한다. 다시 할 때는 수용 확언과 연상 어구를 수정한다. 남아 있는 문제에 맞추어 추가 조정 작업을 한다.

1차 조정 작업을 할 때는 '조금의'란 어구를 사용하고, 2차 조정 작업을 할 때는 '아주 조금의'란 어구를 사용한다. 고통 점수가 거의 제로가 될 때까지 지속적으로 한다. 수용 확언은 이렇게 한다.

"나는 비록 여전히 (아주) 조금의 ○○○을 갖고 있지만, 그런 나 자신을 온전히 받아들이고 깊이 사랑합니다."

연상 어구는 이렇게 한다.

"(아주) 조금 남은 두통."

"(아주) 조금 남은 미움."

에너지 장애물 없애기

EFT는 100% 효과가 나타나는 것이 아니지만, 보통 한 번에 60~80%의 효과가 나타난다. 그 효과는 완전한 치유, 부분적 치유, 효과 없음으로 나뉜다. 완전한 치유는 지속적인 평가와 재시도를 해야 하고, 부분적 치유는 추가 조정 작업을 해야 한다. 효과 없음은 다각도로 접근하는 것이 중요하다.

먼저 에너지 장애물을 찾아야 한다. 대표 장애물은 다음과 같다. 심리적 역전, 다양한 양상, 핵심 문제, 독소, 호흡의 문제, 지속성이 필요한 경우, 희귀한 경우, 해결해야 할 문제가 산적한 경우 등이다. 물론 전문가의 도움이 필요한 경우도 있다.

'심리적 역전'은 치유 과정에 저항하는 무의식의 장애물이다. 일반적인 심리적 역전은 다음과 같다.

* 만성화된 부정적인 생각이나 감정
* 술이나 약물중독
* 물 섭취량이 부족해 인체 에너지 시스템의 활성이 떨어지는 경우
* 에너지 독소나 물질에 대한 민감성(일부 음식, 금속, 옷, 카펫 등)

심리적 역전은 보통 "나는 좋아지지 않는다", "나는 낫지 않는다", "의사가 고치지 못한다고 했어" 등으로 표현된다. 부가적 이득에 의한 심리적 역전이 있다. 무의식의 증상이 없어지는 것보다 유지하는 것이 더 낫다고 판단될 때 나타나는 현상이다. 의식적 판단과 무의식적 판단이 반대되는 상황에서 주로 나타난다. 심리적 역전을 극복하려면 준비 작업을 강력하게 해야 한다. 수용 확언을 할 때는 감정을 강하게 담아서 말한다. 중얼거리기보다는 큰 소리로 말한다.

"내 무의식의 무언가가 치유에 저항하지만 그런 나 자신을 온전히 받아들이고 깊이 사랑합니다."

"내 무의식은 치유되지 않기를 원하지만 그런 나 자신을 온전히 받아들이고 깊이 사랑합니다."

모든 문제와 증상에는 긍정적인 의도가 있다. 그러므로 긍정적인 의도를 발견해 대안을 찾는 것도 중요하다.

'핵심 문제'는 신체 에너지 체계의 혼란을 일으키는 주범이다. 육체·심리적 반응이나 양상(증상)으로 나타나는 핵심 문제를 찾아내는 것은 쉽지 않다. 게리 크레이그는 핵심 문제를 찾아내는 5가

지 질문을 제시했다.

* 어떻게 그렇다는 것을 아나요?
* 이 문제와 관련된 감정이 있다면 무엇인가요?
* 이 문제와 관련된 어린 시절에 겪은 사건 중 떠오르는 것은 무엇인가요?
* 당신이 인생을 다시 산다면 지우고 싶은 사건이나 사람은 누구인가요?
* 이 문제가 해결되는 것을 방해하는 것이 있다면 무엇인가요?

그 밖의 에너지 장애물을 극복하는 조언도 있다.

* 양상을 구체적으로 파악한다.
* 구체적인 확언을 사용한다.
* 주관적 고통 점수 평가를 정확히 한다.
* 에너지 독소(음식과 환경)를 피한다.
* 지속적으로 반복하여 실시(하루 3번 30일간)한다.
* 쇄골 호흡을 한다.
* 모든 것에 시도한다.

벽글씨와 확언론

벽글씨(Writing on Our Walls)는 우리의 신념이나 의견, 태도, 고정 관념, 한계를 지칭한다. 벽글씨의 원천은 부모와 가족, 학교, 교회, 직장, 친구, 책, 영화 등이다. 우리는 항상 벽글씨의 도움으로 세상을 살아가고 있다. 우리는 있는 그대로를 보지 못한다. 보고 싶은 것만 본다. 우리가 보고 있는 것은 모두 우리의 과거의 생각이며, 우리의 생각은 벽글씨에서 나온다. 계속되는 생각은 현실이 되고, 새로운 현실을 원하면 그 생각을 바꾸어야 한다. 새로운 생각은 새로운 현실을 창조한다. 생각을 바꾸면 행동이 바뀌고, 행동을 바꾸면 습관이 바뀌고, 습관을 바꾸면 성격이 바뀐다.

벽글씨는 교실 칠판에 쓴 글씨처럼 지울 수 있다. EFT는 벽글씨를 지우는 지우개다. 확언은 새로운 벽글씨를 쓸 수 있는 연필인 것이다. 다시 쓰기 기법에는 몇 가지가 있다.

* 일상어(습관적인 어휘)를 조심한다.
* 정보 원천을 바꾼다.
* 부정적인 언어를 대체하거나 순화한다(괜찮아, 지나가, 좋아져).
* 광고 문구를 만들어 자신에게 광고(TV 기법)한다.
* 확언을 사용한다.

확언(Affirmation)은 개인의 성장을 위해 쓸 수 있는 도구 중에서 가장 강력한 것 중 하나다. 확언은 신뢰성이 있고 사용하기 쉬우며 완전무결한 논리에 기반을 두고 있어야 한다. 확언에는 긍정 확언, 선택 확언, 의문 확언이 있다.

긍정 확언은 '나는 100% 성공한다'처럼 말하는 것이다. 자칫하면 저항이 생기거나 꼬리말(but~)이 붙을 수 있다. 선택 확언은 '나는 100% 성공을 선택한다'고 말하는 것이다. 현실성이 있고 책임감이 부여되는 말이다. 의문 확언은 효과적이다. 무의식은 질문을 피하지 못한다. 질문이 바뀌면 해답도 바뀌니까 말이다. 의문 확언에는 좌절 질문과 성공 질문이 있다. 좌절 질문이 '왜 나는 매일이 모양이지?'라고 한다면, 성공 질문은 '왜 나는 하는 일마다 잘되지?'다. 성공 질문이 좌절 질문에서 지나치게 멀어지면 안 된다. 현실감이 있어야 한다. 성공 질문에 '점점'이나 '갈수록'을 사용하면 효과적이다. EFT의 확언 활용에는 PAC 법칙이 있다. Problem은 문제가 되는 것들을 찾는 것(문제 확인)이고, Accept는 그런 나 자신을 받아들이는 것(수용 확언)이다. Choice(Create)는 진정으로 원하는 것을 선택하는 것(선택 확언)이다. 예를 들면 이렇다.

"나는 비록 ○○○가 있지만(P) 그런 나 자신을 온전히 받아들이고 깊이 사랑합니다(A). 지금부터는 마음의 평화를 선택합니다(C)."

성공적인 확언이 되기 위한 몇 가지 규칙이 있다.

*진정으로 원한다.

*현실적으로 가능하다고 믿는다.

*1인칭 현재형 긍정문으로 진술한다.

*원하는 것을 확언하고 원치 않는 것을 확언하지 않는다.

*확언이 실현되는 과정이나 방법에는 신경 쓰지 않는다.

확언은 일종의 광고 슬로건과 유사하다. 강한 감정과 반복이 중요하다. 상상화(시각화)와 역할 가장을 통해서 성공률을 더욱 높일 수 있다. 무의식은 강한 감정과 반복에 반응한다. 무의식은 현실과 상상을 구분하지 못한다. 무의식은 부정문을 인식하지 못한다.

부정적 감정으로부터 자유하기

옛날 한 상인이 심각한 귀신공포증에 시달렸다. 상인은 매일 물건을 팔러 집에서 장터까지 10리 길을 걸었는데, 장터를 가려면 도중에 공동묘지를 지나야 했다. 공동묘지를 지날 때마다 상인의 눈앞에 무시무시한 귀신이 나타났다. 상인은 두려움에 떨며 고을 원님을 찾아가 하소연했다. 그러자 원님은 상인에게 조그마한 상자 하나를 내주며 말했다.

"이 상자를 항상 몸에 지니고 다녀라. 그러면 귀신이 나타나지 않을 것이다."

상자의 효험은 대단했다. 상인은 귀신공포증에서 벗어날 수 있었다. 기적이 일어난 셈이다. 그런데 또 다른 문제가 찾아왔다. '상자를 잃어버리면 어떡하나?' 하는 걱정이었다. 상인은 상자 걱정에 일이 손에 잡히지 않았다. 밤에도 잠을 이루지 못하다 보니 다시 원님을 찾아갔다. 원님은 웃으면서 상자를 열어 보였다. 어처구니없게도 상자 속은 텅 비어 있었다.

"이 안에는 아무것도 없다. 귀신과 걱정은 모두 네 마음이 만든 현상이다."

불교에 일체유심조(一體唯心調)라는 말이 있다. 모든 것은 마음이 만든 현상이라는 뜻이다. EFT는 만병통치약이 아니다. 원님이 건넨 상자처럼 마음을 치유하는 하나의 도구일 뿐이다. EFT 창시자 게리 크레이그는 이렇게 말했다.

"나의 방법은 하나의 길일 뿐이지 확정된 길이 아니다. EFT는 항상 변화하고 발전한다. 누구나 독창적으로 자신의 고유한 방법을 만들 수 있다."

마음 들여다보기:
명상 치유

한 노인이 산등성이에 우두커니 서 있었다. 등산 중이던 세 친구가 노인이 무엇을 하는지 알아맞히기 내기를 했다. 한 친구는 '노인은 잃어버린 소를 찾고 있을 것'이라고 했다. 다른 친구는 '운동하는 중'이라고 확신했다. 또 다른 친구는 '지나간 과거를 회상하는 것'이라고 했다.

이 세 사람은 궁금한 나머지 노인에게 직접 물어보기로 했다.

"어르신, 무엇을 하고 계십니까?"

"나는 아무것도 하고 있지 않소."

어쩌면 '명상이란 무엇일까?'에 대한 답은 '아무것도 하지 않는 것'일지도 모른다. '무념무상'이나 '무위자연'이라 할 수 있을 것이다. 영어로 'non-doing'인 셈이다.

명상은 눈을 감고 고요히 사색에 잠기는 것이다. 주위에서 일어나는 모든 일에 대해 어떤 판단도 하지 않고 묵묵히 지켜보는 것이다. 독일의 철학자 에드문트 후설은 이런 말을 했다.

"판단 금지!"

원어로 '에포케(epoke)'라고 한다. 성경의 '남을 판단하지 말라'가 연상되는 단어다.

명상이란 멈추어 서서 자신을 들여다보는 행위다. 원효 대사는 지관(止觀)이라 했다. 멈추어서[止] 보는 것[觀]이다. 홀연히 육체는 사라지고 의식만 남아 있는 상태다.

1916년, 알버트 아인슈타인은 '$E=mc^2$'이라는 유명한 공식을 발표했다. 에너지(E)는 질량(m)에 빛의 속도(c)의 제곱을 곱한 것과 같다는 것이다. 이 공식의 위력은 히로시마 원자 폭탄 투하를 보면 알 수 있다. 원자 폭탄과 수소 폭탄같이 우라늄이나 수소처럼 작은 물질이 핵분열할 때 엄청난 에너지를 발산한다. 현대 물리학의 양대 산맥 중 하나인 양자역학은 물질의 최소 단위를 규명하는 학문이고, 상대성 이론은 우주 천체를 연구하는 것이다. 그런데 묘하게도 우주의 모습은 그 최소 단위는 원자와 같은 모습을 하고 있다. 우리 내부는 우주처럼 텅 비어 있다. 물리학자들은 물질의 최소 단위인 전자를 연구하다가 전자의 속성이 입지이면서도 동시에 파동의 속성을 지니고 있다는 사실을 밝혀냈다.

피타고라스는 2500년 전에 이런 말을 했다.

"우주 만물은 파동으로 되어 있다."

인간은 육체이면서 동시에 의식이고 물질이면서 에너지다.

명상이란 육체가 사라지고 의식만 남은 상태다. 다시 말해 입자는 사라지고 파동만 남은 상태다. 자신을 물질이 아닌 에너지로 파악하는 상태다. 빛과 사랑으로 변화하는 상태를 말한다. 성경에 천국은 빛과 사랑이 넘치는 곳으로 묘사된다. 명상이란 우리 몸을 천국으로 만드는 것이다. 이러한 명상을 통해 우리는 작은 깨달음(사토리)에 이를 수 있다. 반복적인 사토리를 통해 큰 깨달음(해탈)에 도달할 수 있다. 명상을 통해 영생, 불로장생, 득도, 구원에 도달할 수 있는 것이다.

주체와 객체가 하나가 되는 명상

미국의 초월심리학자인 켄 윌버는 '영원한 철학(perennial philosophy)'에 대해 언급했다. 켄 윌버에 따르면 인간은 진화와 퇴화의 과정을 끊임없이 반복한다고 한다. 우리는 순간적으로 무한을 향해 출발하지만, 다시 무한으로부터 움츠러들어 다시 지금 현재의 삶으로 돌아온다. 오늘도 최고 정점을 향해 나선 운동을 하고 있지만, 다시 저차원의 상태로 돌아가고 만다. 켄 윌버는 이렇게 인간이 자꾸만 고차원으로 돌아가고 싶어 하는 현상을 '회상(remember)'이라고 했다.

지금으로부터 5000년 전, 인류 최초의 경전인 《우파니샤드》에 이런 이야기가 있다. 태초에 '합일(合一)의 단계'. 시간도 없고 공간도 없으며, 무한하고 영원하여 큰 대양과도 같았다고 한다. 태초에 하나님이 천지를 창조할 때 땅이 공허하고 혼돈하며 흑암 가운데 있었다는 〈창세기〉 구절이 연상된다. 그런데 대양에 눈에 띄지 않을 정도의 작은 물결이 인다. 작은 물결은 결코 대양을 손상시키지 않는다. 작은 물결은 자신을 인식하기 시작한다. 대양의 일부분에 불과하다는 사실을 망각한다. 대양에서 분리되어 외롭게 홀로 서게 된다. 이 작은 물결이 바로 '인과(因果)의 단계'다.

이제 작은 물결은 점점 대양으로부터 멀어져간다. 대양에 가까울수록 희열을 느낄 수 있지만, 왠지 만족할 수 없다. 자기 자신, 자아를 만들기를 원하게 된다. 무한을 원하면서도 죽음을 두려워하며, 점점 무한으로부터 멀어지고 죽음의 길을 선택하게 된다. 신을 발견하는 대신 스스로 신을 가장한다. 작은 물결은 왜소한 의식 상태를 만든다. 이제 '정묘(精妙)의 단계'에 들어선 것이다. 이어 작은 물결은 '심리의 단계', '기(氣)의 단계', '물질의 단계'로 추락한다. 우리말에 심기혈정(心氣血精)이라는 말이 있다. 마음이 모여 기(氣)를 생성하고, 기(氣)가 모여 혈(血)을 이루고, 혈(血)이 모여 물질을 만든다는 것이다. 이제 작은 물결은 신이 되려는 노력은 포기하고 아무런 감각도 없는 꿈꾸는 상태로 떨어진다.

힌두교에 옴이라는 상징이 있다. 모든 인간은 밤낮으로 꿈과 환상에 빠져 살아간다. 옴은 인간이 꿈꾸는 잠의 상태를 벗어나고 각성 상태를 벗어나며, 꿈 없는 잠의 상태를 벗어나 영원한 깨달음의 경지로 들어가는 것을 상징한다. 고차원에서 저차원으로 향하는 운동을 퇴화(regression)라고 한다. 대양(대아, 브라만)의 입장에서 보면 순수한 창조이지만, 작은 물결(소아, 아트만)의 입장에서 보면 불행의 시작이다. 정반대의 현상이 있다. 저차원에서 고차원으로의 운동이다. 이를 진화(evolution)라고 한다. 작은 물결이 어머니와 같은 대양으로 돌아가고 싶어 하는 것이다. 귀향이라고도 한다. 소아가 대아를 추구하는 일이다. 신을 닮고자 하는 현상이자 우주와 하나가 되고픈 마음이다. 이것을 명상이라고 부른다.

명상은 크게 둘로 나뉜다. 집중 명상과 각성 명상이다. 다른 말로 하면 닫힌 명상과 열린 명상이다. 불교에서는 집중 명상을 사마타라 부르고, 각성 명상은 비파사나 또는 프라나라고 부른다. 집중 명상은 삼매경이나 절정에 도달하고 각성 명상은 사토리나 깨달음에 도달한다. 탄트라의 경지다. 집중 명상은 한 점만 강렬하게 응시하는 것이고, 각성 명상은 가능한 많은 점을 응시하는 것이다.

집중 명상은 한 대상에 초점을 맞추는 것이다. 촛불에 집중하면, 촛불과 동일시하게 된다. 내가 촛불이고 촛불이 나인 경지로 들어간다. 주체와 객체가 하나 되는 합일의 지경으로 들어가는 것이다. 삼매경, 절정 경험의 순간이다. 각성 명상은 밤하늘의 모든 별에 초점을 맞추는 것이다. 고요하고 침착한 상태로 몰입한다. 우주 전체가 나에게 스며드는 느낌이다. 내가 우주가 되고 우주가 내가 되는 합일의 지경으로 들어가는 것이다. 사토리, 해탈의 경지에 들어간 것이다.

명상의 단계는 심리의 단계, 정묘의 단계, 인과의 단계, 합일의 단계로 나눌 수 있다. 명상이 깊어짐에 따라 단계대로 경험하게 될 것이다.

심리의 단계(psychic stage)는 초기 명상 경험이다. 사람의 마음은 원숭이와 같다. 잠시도 가만히 있지 못한다. 법정 스님은 이렇게 말했다.

"한마음 밝게 먹으면 밝은 세상이 열리고, 한마음 어둡게 먹으면 어둔 세상이 열린다."

초기 명상 단계는 우리의 마음을 잠재우는 것이다. 우리 마음 속에서 떠도는 오만 가지 잡동사니, 말과 생각과 공상을 멈추는 일이다. 초기 명상 경험은 편안히 의자에 앉아서 스크린에 펼쳐지는 영화를 감상하는 것과 같다. 아무런 판단 없이 나 자신이 상영되는 것을 그저 보는 것이다. 따스한 봄날, 공원 잔디에 누워 흘러가는 구름을 바라본다고 생각하면 된다. 우리는 기쁜 장면에서 즐거워하고, 슬픈 장면에서 상심할 수 있다. 화나는 장면에서 분노하고, 무서운 장면에서 부르르 떨 수 있다. 점차 스크린의 장면에서 희로애락의 감정이 분리되고 지지고 볶고 싸우는 모습이 마치 '내가 아닌 듯한' 느낌이 든다.

심리의 단계는 초월이 시작되는 단계다. 습관적인 자아는 사라지고 높은 차원이 열린다. 이완 상태를 경험하게 되는 것이다. 인생은 한 번 가는 길이고, 처음 가는 길이며, 마지막 길이라는 통찰이

싹튼다. 죽음에 대한 공포가 줄어들며, 내부에서 감사의 마음이 우러나오고, 봉사와 헌신하고픈 마음이 살아난다.

이어 정묘의 단계(subtle satge)다. 시내 한복판을 한가로이 거닐고 있다고 상상해보라. 길가의 쇼윈도에 전시된 멋진 옷들을 보다가 갑자기 눈앞에 모호한 영상을 보게 된다. 쇼윈도 유리에 비친 춤추는 사람을 발견한 것이다. 곧 유리에 나타난 영상이 바로 자신이라는 것을 알아챈다. 갑자기 나 자신에 대한 인식이 생기게 된다. 고차원의 자기 자신(higher self)를 인식하는 것이다. 홀연히 본래 자기, 본래 나, 진짜 나를 발견하고 내가 누구인지 알게 된다.

"아, 그게 바로 나구나!"

정묘의 단계는 순수 의식이라고 부른다. 마음과 몸의 초월이 시작되고, 자아를 초월하여 태곳적 원형, 신성에 접근한다. 부처님을 만나고 예수님을 만나고 신을 체험할 수 있다. 영원한 빛을 실제로 경험하는 것이다.

그다음은 인과의 단계(causal stage)다. 이 경지는 가을 대보름날 밤과 유사하다. 어두우면서 고요하다. 모든 공간을 채우는 은빛 충만한 세계를 보게 된다. 아름다운 신성력으로 빛난다. 독일의 철학자 R. 오토는 '누미노제(Numinose)'라는 표현을 썼다. 불교에서는 이를 '충만한 공(空)'이라 했다. 선에서는 '흐르는 물소리가 갑자기 멈춘다'고 했다. 물과 물 사이로 빨려 들어가는 느낌인 것이다.

인과의 단계는 우주 의식이라 부른다. 하늘에 있는 모든 별이 동등하게 보이기 시작한다. 현재 일어나는 모든 주위의 경험을 목격하며 바로 그 자리에 앉아 있게 된다. 한 도인이 이 단계에 들어

섰을 때 동쪽 창문에는 꽃이 피고, 남쪽 창문에는 수풀이 우거지고, 서쪽 창문에는 낙엽이 지고, 북쪽 창문에는 눈이 내렸다고 한다. 동시다발적인 현상을 경험하는 것이다. 시간과 공간을 초월해 신비의 세계에 들어선 것이다. 이때 근원적인 모습, 전생의 모습, 태곳적 나의 모습을 볼 수 있다. 영원한 존재들의 얼굴을 본다. 예수가 '아브라함이 있기 전부터 내가 있었다'고 말한 〈요한복음〉(8장 58절) 구절을 실감케 한다.

이제 합일의 단계(non-dual stage)다. 화창한 가을 대낮에 비유한다. 아주 환하고 눈이 부셔서 주위가 모두 투명하게 보인다. 빛으로 충만한 경지인 셈이다. 누구나 화창한 가을 대낮 코스모스와 갈대로 가득한 시골길을 걸어본 적이 있을 것이다. 합일의 단계는 신 의식에 해당한다. 공이 형상으로 나타나고 형상이 공이 되어 둘이 하나가 된다.

중국의 유명한 도교 책인《태을금화종지(The Secret of Secrets)》에서는 금화, 금꽃이 만발하는 지경이라고 설명한다.《마하무드라》에서는 이렇게 표현한다.

"모든 것이 마음이다. 마음은 공이다. 공이 자유로운 형상으로 나타난다. 자유로운 형상은 스스로를 자유롭게 한다."

인도의 도인 사리바바는 공에서 수많은 형상을 만들어냈다. 주로 국수, 자장면 등 먹을 것을 만들었다고 한다. 〈요한복음〉(8장 32절)에 예수가 '진리가 너희를 자유롭게 할 것이다'고 말한 구절이 연상된다.

명상 4단계는 매우 중요하다. 명상이 깊어지면서 심리의 단계, 성묘의 단계, 인과의 단계, 합일의 단계를 차례로 경험하게 된다. 앞서 이야기했듯 각각 상징적으로 영화를 보는 것, 쇼윈도 앞에 서 있는 것, 가을 대보름날 밤, 화창한 가을 대낮을 연상하면 된다. 모든 사람은 자기도 모르는 사이에 명상의 여러 단계를 경험할 수 있다. 더욱 효과적인 명상을 하려면 각 명상 단계에 대한 해석학적인 조명이 중요하다.

명상은 종교적이고 철학적이고 실존적이다. '인생은 처음이자 한 번이자 마지막으로 가는 길'이라는 깨달음에 기초한다. 인식론과 존재론의 시각을 반영한다. 인식론은 '나는 누구인가?'라는 물음에서 출발한다. 인간은 죽음을 전제로 세상에 태어난다. 우주에서 와서 우주로 돌아간다. 존재론은 '만물은 평등하다'는 관점에서 출발한다. 만물은 서로 연결되어 있다. 우리는 부처님이나 예수님처럼 될 수 있다. 그러나 명상은 쉽게 도달하지 못하는 단점이 있다.

정신 건강이란 무엇인가? 명상의 관점에서 본 정신 건강이란 무엇인가? 정신 건강이란 천상천하(天上天下) 유아독존(唯我獨尊)의 상태며, 불취외상(不取外相) 자심반조(自心返照)의 상태다. '하늘 위와 하늘 아래에서 오직 내가 홀로 존귀한' 것이며, '외부의 물상에 휩쓸리지 말고 내부의 마음을 들여다보는' 상태다.

5000년 전에 융성했던 수메르 문명의 격언은 오늘날까지 전해 내려온다.

'노예처럼 사는 왕이 있고, 왕처럼 사는 노예가 있다.'

한마디로, 명상이란 왕처럼 사는 노예의 상태를 말하는 것이다.

의식 일깨우기:
Awakened Mind

인도에 유명한 도인이 살고 있었다. 이 도인은 젊었을 때부터 상당한 깨달음의 경지에 올라 있었다. 하지만 배움을 더 넓히고 싶어 많은 제자를 둔 스승의 문하생으로 들어갔다. 스승과 나눈 첫 대면에서 도인은 말했다.

"당신을 100% 신뢰합니다. 내 모든 것을 당신에게 맡기겠습니다."

스승은 부담스러웠지만, 이내 도인을 받아들이기로 했다. 그러자 스승의 제자들이 도인을 질투하기 시작했다.

"우리는 10년이나 문하생으로 있었는데도, 스승에게 100%를 맡기지 못하는데 어찌 그런 거짓말을 할 수가 있습니까?"

제자들은 도인을 시험해보고 싶어 몸이 근질근질했다. 어느 날 이 도인을 산꼭대기로 데려갔다.

"당신이 정말 스승을 100% 신뢰한다면 여기서 뛰어내려라. 스승이 널 구할 것이다."

도인은 그 자리에서 뒤도 돌아보지 않고 뛰어내렸다. 당황한 제자들은 절벽 밑으로 시신을 찾으러 부리나케 내려갔다. 그런데 도인이 차분하게 앉아 있는 게 아닌가. 그 광경을 보고 입이 다물어지지 않는 제자들이 물었다.

"무슨 일이 일어났는가?"

"모릅니다. 스승을 100% 신뢰했는데 기적이 일어났습니다."

우연이라고 생각한 제자들은 다시 도인을 시험해보기로 마음먹었다. 이번에는 불에 타고 있는 어느 집으로 도인을 데려갔다.

"당신이 정말 스승을 100% 신뢰한다면 이 집으로 들어가라. 스승이 너를 구할 것이다."

그런데 또다시 기적이 일어났다. 도인이 멀쩡히 살아서, 그것도 걸어서 나온 것이다.

어느 날 스승은 제자들과 함께 배를 타고 강을 건너고 있었다. 이때 제자들은 또 다른 기회를 잡았다고 생각했다.

"당신이 스승을 신뢰하고 2번이나 기적을 행했으니, 스승이 보는 앞에서 물속으로 뛰어들라."

도인은 한 치의 망설임 없이 강 속으로 몸을 던졌다. 그러자 도인은 물에 빠져 죽지 않고 유유히 물 위를 걸어오는 게 아닌가.

스승이 물었다.

"그대에게 무슨 일이 일어났는가?"

"나는 당신을 100% 신뢰합니다. 내가 아니라 당신이 행한 기적일 뿐입니다."

스승은 자신에게 커다란 능력이 있다는 생각을 하게 되었다. 그 순간 자신도 강물 속으로 뛰어들었지만, 스승은 물에서 빠져나오지 못하고 말았다.

'바보 스승'이라는 말이 있다. 바보와 득도한 사람은 겉으로는 비슷해 보인다. 그래서 바보를 스승으로 섬긴다는 말도 있다. 과거에는 가짜 도인과 진짜 도인을 구분할 방법이 없었던 탓이다.

맥스웰 케이드는 뇌파를 통한 의식의 고차원 상태를 연구한 영국의 유명한 정신생물학자다. 맥스웰 케이드는 인도와 티베트에서 높은 경지에 도달한 사람을 찾아다녔다. 요가 수행자, 선 수행자, 고승, 심령술사의 뇌파를 측정했다. 음악가, 화가, 무용가, 시인의 뇌파도 측정했다. 이 사람들의 두뇌에서 나오는 뇌파에는 공통점이 있었다. 최고 경지에 도달했을 때의 뇌파가 거의 비슷한 모습이었던 것이다. 케이드는 여기에 'Awakened Mind(AM)'라는 이름을 붙였다. 굳이 번역한다면 '활짝 깬 의식'이다. 케이드는 뇌파를 통해 가짜와 진짜 도인을 구별하는 길을 열었다. AM은 '최고의 절정 경험'을 하고 있는 상태다. AM은 우리에게 대단한 '마음의 평화'를 안겨주며 마음의 평화는 모든 불안, 공포, 우울로부터의 해방을 가져다준다. 마음의 평화는 인간의 궁극적인 목표며 우리가 추구해야 할 과제다.

활짝 깬 의식의 가능성

모차르트는 1~2초 만에 전체 악장에 담을 수 있는 완벽한 곡에

서브 의식과 슈퍼 의식

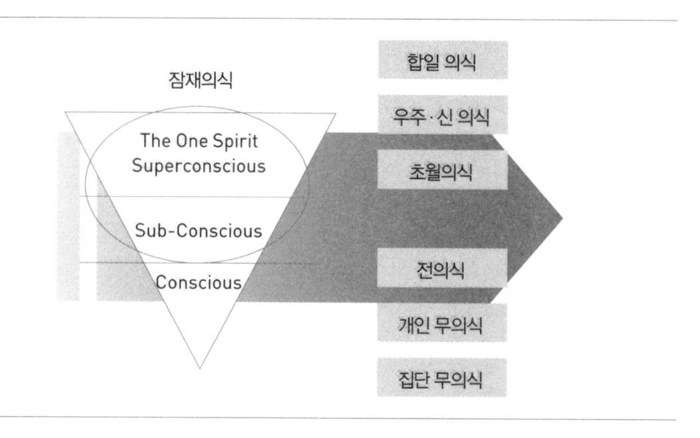

대한 아이디어를 떠올렸다고 한다. 베토벤은 한순간 머리에 떠오른 악상을 토대로 한두 달에 걸쳐 곡을 완성했다. 누구나 모차르트나 베토벤처럼 한순간 번뜩이는 아이디어가 떠오른 적이 있을 것이다. 이는 고차원의 정신세계와 맞닿아 있는 현상이다. 인간의 정신세계는 끊임없는 토론의 대상이었다.

고차원의 의식은 크게 서브 의식과 슈퍼 의식으로 나뉜다. 서브 의식은 말 그대로 하위 의식이다. 전의식, 개인 무의식, 집단 무의식을 포함한다. 슈퍼 의식은 상위 의식이다. 초월의식, 우주 의식, 신(神) 의식, 합일 의식 등을 이른다.

초월 명상을 실천하는 사람들은 의식의 단계를 7단계로 기술한다. 깊은 수면 → 얕은 수면 → 각성 → 초월의식 → 우주 의식 → 신 의식 → 합일 의식이다.

프로이트는 의식과 무의식에 대해 처음으로 언급했다. 의식은 빙산의 일각이다. 전체의 5%도 채 되지 않는다. 프로이트가 얘기했던 무의식의 범주에 서브 의식과 슈퍼 의식이 모두 포함된다. 서브 의식과 슈퍼 의식을 합해 무의식이라고 해도 큰 문제가 없다. 변화심리학의 권위자 앤서니 라빈스가 《네 안의 잠든 거인을 깨워라》에서 잠든 거인이 프로이트가 말한 무의식이다. 우리는 무의식을 잠재의식으로 부르기도 한다. 서브 의식의 종착역인 집단 무의식은 인류가 공통으로 지니는 '오래된 기억'이다. 집단 무의식은 조상 대대로 경험한 의식이 쌓인 결과라고 할 수 있다. 슈퍼 의식의 종착역인 합일 의식은 최고의 지성이 존재하는 곳이다. 넓은 의미의 마음이란 서브 의식과 슈퍼 의식을 모두 포함한다. 아무튼 극과 극은 통한다고 서브 의식과 슈퍼 의식은 유사한 특징을 지니고, 집단 무의식과 합일 의식도 일맥상통한다.

AM은 고차원의 의식 상태다. 상당한 경지에 이른 사람들이 보이는 뇌파 패턴이다. 서브 의식과 슈퍼 의식, 집단 무의식과 합일 의식에 접속되어 있는 의식 상태다. AM에 도달한 사람은 이렇게 말한다.

"모든 것을 완벽히 알았다."

"내가 왜 예전에는 미처 몰랐을까?"

"이거 참 간단하네!"

"정말 황홀하다!"

AM에 도달하는 순간 대단한 아이디어와 영감이 섬광처럼 스친다. 모든 예술가, 시인, 경영인, 정치인들이 이러한 의식 상태에서 위대한 작품을 만들고 위대한 일을 해냈다. AM은 창조성의 원천이다.

무한한 잠재성의 AM

AM은 무의식과 접속한 상태다. 서브 의식과 슈퍼 의식에 접속한 상태이며, 집단 무의식과 우주 의식에 접속한 상태다. 아울러 조물주의 경험에 접속한 상태이며, 우주의 아카이브(기억 창고)에 접속한 상태다.

AM은 보통 서버에 연결된 인터넷에 비유되며, 서버는 아카이브에 해당한다. 인터넷이 서버와 연결이 끊겼다면 아무런 정보도 탐색할 수 없다. 의식이 아카이브와 연결이 끊겼다면 아무런 아이디어도 얻을 수 없다. AM은 모든 뇌파가 고르게 발달된 상태다. 델타파와 세타파의 정보는 알파파를 통해 베타파에 전달되며, 알파파는 무의식을 의식과 연결해주는 다리다. 이 과정을 통해 AM 상태에서만 창조성과 아이디어는 또렷하게 의식화되는 것이다.

무의식은 하루 24시간 동안 쉬지 않고 작동한다. 무의식은 무궁무진한 아이디어의 보물 상자다. 그런데 우리는 24시간 내내 우주의 아카이브에 접속할 수 없다. 가끔 텔레비전을 보다가, 신문을 읽다가 "아, 저건 나도 생각했던 아이디어인데"라며 무릎을 탁 칠 때가 있다. AM 상태에서 우주의 아카이브에 접속한 것이다.

모든 사람은 누구나 1년에 평균 4번 정도 대단한 아이디어를 생각해낸다. AM은 보통 하루 중에 잠들려는 순간, 아침에 잠이 깨는 순간, 한밤중에 잠에서 깨어날 때 가장 잘 나타난다. 이때를 잘 활용하면 창조적인 사람이 될 수 있다.

무의식은 내버려둔 정원과 같다. 의식은 정원사와 같다. 정원사의 손길을 거쳐 정원이 아름답게 가꾸어지는 것처럼, 무의식은 의식이라는 존재를 통해서 서서히 밖으로 나올 수 있다. 그래서 무의식에서 창조성과 아이디어를 얻으려면 강한 동기가 있어야 하며, 변화하려면 강렬한 열망이 있어야 한다. 나아가 정확한 목표와 구체적인 명령을 시도해야 한다.

자신의 목표를 시각화하고, 확신을 가지고 언어화하며 마치 그런 모든 것이 실현된 것처럼 역할 연기를 해야 한다. 간절히 원하면 반드시 이루어지며, 확신은 대단히 중요하다. 〈마태복음〉(17장 20절)에 이런 구절이 나온다.

"너희에게 믿음이 겨자씨 한 알만큼만 있어도 이 산을 명하여 여기서 저기로 옮겨지라 하면 옮겨질 것이요."

무의식은 강한 믿음과 언어화에 잘 반응한다.

"나는 해낼 수 있다."

자신에 찬 기대는 매우 중요하다. 성공하려면 성공한 사람과 똑같은 방식으로 행동해야 한다.

하루 동안 AM 상태에 들어가는 횟수가 잦다면 창조적인 삶을 산다고 할 수 있다. AM은 지속적인 개발을 통해서 활성화된다. 산책, 운동, 음악, 기도, 명상 그리고 자기가 좋아하는 일에 몰입할 때 더욱 활성화된다.

30분에서 60분 정도 혼자만의 시간을 가져보라! 내 안에서 들려오는 작은 목소리에 귀를 기울여보라. AM이 활성화될 때 우리는 순간적으로 스치는 영감을 얻을 수 있을 것이다. 우연히 만난 사람과의 대화에서 신문이나 책을 보면서 멋진 아이디어를 잡아

낼 수 있다. 아니면 뜻밖의 사건으로 통찰력을 얻을 수도 있다.

현대인들은 혼자 짊어지기 버거운 다양한 문제를 안고 살아간다. 어쩌면 이러한 연속되는 문제들은 의식 차원에서 해결할 수 없는 것처럼 보이기도 한다. 그런데 우리는 이 문제들이 급작스럽게 해결되는 경험을 종종 하게 된다. 이는 무의식이 작동한 것이며 우주의 아카이브가 작동한 것이다. 문제 해결 방법은 아주 간단하다.

*우선 문제를 종이에 적고 구체적인 목표를 설정한다.

*문제에 대한 정보를 수집하고 조사하며 토론한다.

*문제 해결을 위해 의식적으로 최선을 다해 노력한다.

*무의식에 맡기고 외식, 산책, 운동 혹은 다른 일에 몰두한다.

*순간 갑자기 해답이 떠오른다.

무의식은 보통 우리가 문제에 100% 집중하고 있을 때 활발하게 일한다. 무의식은 우리가 다른 일로 바빠 문제에 집중하지 못할 때 가장 활발하게 작업한다.

AM은 무의식과 의식이 연결되어 있는 뇌파 상태다. AM은 문제를 해결하는 데 결정적인 역할을 한다. 오랫동안 고심했던 문제가 순식간에 해결되는 경험은 이렇게 나타난다.

첫째, 해결 방법이 100% 완벽한 것으로 아주 간단하고 명료하다. 우리는 손바닥을 치면서 이렇게 말한다.

"아, 바로 그거야! 간단하네! 대단하다!"

둘째, 해결 방법은 섬광처럼 나타난다. 홀연히 떠올랐다가 홀연히 사라질 수 있다. 그러므로 반드시 바로 종이에 글로 적어야 한다. 의식과 무의식의 연결 고리가 끊기면 까마득하게 잊어버린다. 따라서 창조적인 사람은 항상 메모지를 지니고 다닌다.

셋째, 해결 방법은 엄청난 기쁨과 에너지를 수반한다. 가슴이 벅차고 마음이 들뜨고 행복하다.

"나는 최고다. 나는 천재다."

대단한 자부심을 가지게 된다.

"나는 내가 정말 좋다. 나는 내가 정말 좋다. 나는 내가 정말 좋다."

우리가 진정으로 원하는 것, 하고자 하는 것, 해결하고 싶은 숙제가 있다면 마음에 담아보자. 그러면 언젠가 AM이 작동하여 홀연히 모든 것이 해결될 것이다.

항상 깨어 있으라

힌두교에 옴(OM)이란 상징이 있다. 옴의 왼쪽은 3자 모양과 흡사하다. 3자의 아래쪽은 꿈꾸는 잠을 상징하며 위쪽은 각성 상태를 뜻한다. 3자 가운데에서 옆으로 곡선이 하나 뻗어 나가는데, 이는 꿈 없는 잠을 상징한다.

한 제자가 스승에게 말했다.

"제가 깨달음의 경지에 있는 것 같습니다."

그러자 스승이 물었다.

"잠자는 동안에도 꿈이 없는 활짝 깬 상태가 유지되는가?"

옴의 상징

즉 꿈 있는 잠을 자는 것은 깨달은 상태가 아니다. 3자의 오른쪽 위에는 반달 모양과 점이 있다. 반달은 마야를 상징한다. 마야는 '인생은 꿈'이라는 의미다. 꼭대기 점은 초월 상태, 활짝 깬 상태를 상징한다. 바로 AM의 상징이다. 아르메니아 출생의 신비주의자 구르제프는 이런 말을 했다.

"각성 상태는 깨어 있는 수면 상태다."

진짜 깬 상태는 바로 AM이라는 것이다.

〈마태복음〉(25장 1~13절)에 열 처녀 비유가 나온다.

하늘 나라의 열 처녀가 저마다 등불을 가지고 신랑을 맞으러 나간 것에 비유한 이야기다. 5명은 어리석고 나머지 5명은 슬기로웠다. 미련한 처녀들은 등잔은 가지고 있었으나 기름은 준비하지 않았고, 슬기로운 처녀들은 등잔과 기름을 함께 준비했다. 신랑이 늦도록 오지 않자 처녀들은 졸다 잠이 들었다. 그런데 한밤중에 신랑이 찾아왔고, 처녀들은 제각기 등불을 챙겨 신랑을 맞으러 나갔다.

하지만 미련한 처녀들은 기름이 없어 기름을 사러 가게에 갔고, 그 사이 준비하고 기다리던 처녀들은 신랑과 함께 혼인 잔치에 들어갔다. 미련한 처녀들이 와서 문을 열어달라고 애원하였지만, 신랑은 이렇게 말했다.

"내가 진정으로 말한다. 나는 너희를 알지 못한다."

예수께서는 이렇게 말했다.

"그러므로 깨어 있으라. 너희는 그날과 그 시각을 알지 못하기 때문이다."

여러분!

활짝 깬 상태, AM를 유지하길 바란다.

마음을 달래는 영화:
힐링 무비

한밤중에 한 청년이 나무 밑에서 큰 소리로 울고 있었다. 울음에는 두려움과 분노가 섞여 있었다. 지나가던 도인이 청년을 발견하고 그 옆에 말없이 다가가 앉았다. 청년의 울음이 잦아들자, 도인은 청년을 데리고 근처 바닷가로 발걸음을 옮겼다. 시원한 파도 소리가 몸 구석구석을 파고들기 시작했다. 밤하늘에 뜬 밝은 달빛이 가슴에 스며들었고 하늘에는 반짝이는 별이 가득 차 있었다. 멀리서 별똥별이 빠르게 떨어지는 순간, 청년은 갑자기 고통에서 벗어났다. 몸과 마음이 편해진 것이다.

이런 상황이 궁금해진 청년이 도인에게 물었다.

"대체 내게 무슨 일이 일어난 것입니까?"

"모든 인간의 병은 몸이 자연으로부터 떨어지고, 마음이 하늘의 별로부터 멀어지며, 영혼이 하느님으로부터 괴리되어 오는 것입니다."

힐링이 열풍이다. 교외에 '힐링 마을'이 세워져 주말마다 일상에 지친 사람들이 하나둘 몰려든다. 도시에 개설된 '힐링 센터'는 스트레스에 시달리는 직장인들을 끌어들인다. 〈힐링 캠프〉는 시청자들에게 인기 있는 TV 프로그램이었다. '힐링 스포츠'는 눈으로 보는 것을 넘어서 몸으로 체험하는 스포츠 프로그램이고, '힐링 천문'은 별자리를 관측하면서 세상의 모든 잡념에서 벗어나도록 도와주는 프로그램이다.

'힐링'은 현대인이 가장 애용하는 단어 중 하나다. 매일같이 힐링 베개, 힐링 침대, 힐링 팔찌, 힐링 스톤, 힐링 생수, 힐링 식단, 힐링 음악 등 '힐링'이라는 이름의 상품과 서비스가 쏟아져 나온다. 사람들은 '힐링'이라는 이름으로 여기저기 쉴 곳을 찾으러 열심히 떠난다. 그곳은 깊은 산속이기도 하고 외딴섬이나 한적한 바닷가이기도 하다. 사람들은 자연을 보고 느끼고 즐기며 편안한 나만의 안식을 취한다.

이런 현상은 사람들이 스트레스에 시달리고 있다는 뜻이기도 하다. 늘 시간과 돈과 일에 쫓기느라 정작 마음 편히 쉴 시간은 많지 않다. 하루 동안 받은 스트레스를 풀지 못한 채 내일을 맞이해야 하기 일쑤다. 이런 생활이 반복되다 보니 항상 피곤하고 지칠 수밖에 없다. 몸뿐 아니라 마음까지 피곤하고 지친 상태에 이른 것이다. 그러니 현대인들은 힐링이 필요한 것이다.

힐링이란 '병든 마음'을 원래의 '건강한 마음'으로 되돌아가도록 하는 치유법이다. 힐링 무비(healing movie)란 영화를 보면서 병든 마음을 건강한 마음으로 돌려놓는 치료 프로그램이다. 청춘 남녀는 연인과 좀 더 가까워지려고 영화관을 찾는다. 직장에서 쌓인 스트레스를 풀고 싶을 때는 친구와 함께 영화를 보며, 아이디어가 끊기고 아무런 해결책이 떠오르지 않을 때도 영화관을 찾는다. 영화는 멀어졌던 연인과의 거리를 가깝게 해주는 역할을 하기도 한다. 물론 복잡하게 꼬인 머리를 식힐 수 있도록 해주며, 답답하고 꽉 막힌 가슴을 조금은 열어준다. 영화를 보는 것 하나만으로 마음의 평화를 찾을 수 있다. 이처럼 영화를 감상하면 힐링 효과가 있는 것이다. 영화치료의 선구자 게리 솔로몬은 이를 '자기 조력적 영화치료'라고 했다. 게리 솔로몬은 다양한 갈등과 정신 현상에 적용할 수 있는 '영화 처방'을 내놓았다.

현대는 매스미디어의 시대다. 영화는 인류가 만든 거대한 발명품이다. 인류는 영화를 통해 과거 역사를 재조명하고, 새로운 미래를 창조해나간다. 인류의 다양한 인생과 삶은 영화 속에서 끊임없이 기록된다. 영화는 우리에게 미래의 청사진을 제시한다. 이미 지구상에 만들어진 수많은 영화 속에는 우리의 모든 생각과 감정이 담겨 있다고 해도 과언이 아니다. 이렇게 담긴 우리의 모습은 후손들에게 전달될 것이다.

영화는 우리에게 '감동'을 안겨준다. 우리는 영화를 보면서 두려움에 떨기도 하고, 가슴 깊은 곳에 숨겨둔 분노가 치밀어오르기도 한다. 기쁨에 넘쳐 입가에 저절로 미소가 지어지기도 하고, 울음을 마음껏 터뜨리기도 한다. 우리는 영화를 보고 느낀 감동을 주위 사람들과 함께 이야기하며 나눈다. 한동안 이러한 영상은 가슴 깊이 맺혀 밤새 잠 못 이루기도 한다. 영화는 우리에게 '희망과 용기'

를 준다. 짙은 안개에 가려 앞이 깜깜한 상황에서 희망을 얻을 수 있는 것도 '영화'고, 밑바닥까지 떨어진 무력한 상태에서 넘치는 용기를 얻을 수 있는 것도 '영화'다. 나폴레옹은 이렇게 말했다.

"나에게 마지막으로 남은 비장의 무기가 있다. 그것은 바로 희망이다."

영화는 새 힘을 솟아나게 하는 에너자이저다. 우리는 영화를 보다가 가끔 중대한 결정을 내리기도 한다. 누구나 한 번쯤은 영화를 보고 고양된 상태에서 서성거리던 경험이 있을 것이다. 영화는 우리에게 '큰 영감'을 준다. 유명한 동기 부여가 앤서니 라빈스는 이렇게 말했다.

"내가 영감을 받는 순간은 2가지다. 하나는 가장 절망적인 상황이고, 다른 하나는 세미나와 교육에 참여할 때다."

거기에 하나 더 추가하고 싶다! 바로 영화 관람을 할 때다. 우리는 영화를 보면서 뜻밖의 아이디어와 지혜를 얻는다. 콱 막혔던 오랜 숙제가 순식간에 풀리는 경험을 하기도 하고, 인생의 귀중한 교훈과 깨달음을 얻기도 한다.

영화에는 정신질환이 있는 사람을 치료할 수 있는 기능이 숨어 있다. 보통 사람들의 인성을 개발하는 데 쓰일 수도 있고 사회 교육적인 면도 물론 가지고 있다. 나아가 자기 고양과 영성 개발, 종교적 체험을 하는 데도 적용할 수 있다.

힐링 무비는 영화치료, 심리도식치료, 집단심리치료 등 3가지를 통합한 치료다. 영화치료(cinema therapy)는 영화로 인간의 마음을 다스리는 심리치료법이다. 심리도식치료(schema therapy)는 행동·인지치료와 정신분석을 통합한 혁신적인 심리치료다. 우리의 삶을 가로막는 유아기의 정서 경험인 18가지 삶의 덫(도식)으로부터 해방되는 것을 골자로 한다. 집단심리치료(group psychotherapy)는 정서적 문제를 지닌 사람들을 대상으로 하는 소집단 심리치료법이다. 부적응적인 행동 변화를 목표로 한다.

영화치료

영화치료는 매체를 활용한 비언어적 치료다. 영화치료는 재미있고 유익하며 호기심을 자극한다. 순응성, 접근성, 가용성이 뛰어나다. 영화는 시각적·청각적으로 은유, 상징, 의미를 쉽게 전달한다.

영화치료의 3가지 접근법

특징 \ 접근법	행동·인지	정신분석	정서심리학
목적	교육, 지시	상담, 심리치료	감정 정화(카타르시스)
영화 선택	필수 선택	자유롭게 선택	자유롭게 선택
상영 시간	10분 이내	무관	30분 이상
구조화	구조화	비구조화	구조화/비구조화
내담자 반응	예측 가능	예측 불가능	정서적인 톤 조절 요함
심리 기제	관찰 학습	투사	동일시
기법	모방, 분리	자유 연상, 분리/연합	정화, 연합
치유 요인	정보 전달, 사회 기술, 교훈	의식화, 통찰, 대인 관계 학습	승화, 대리 만족, 희망의 고취

영화는 새로운 생각이나 눈물, 웃음을 자극하고 우리가 부인하는 감정에 도전하며, 생각·감정·행동 사이에 연결 고리를 이어준다. 비주얼 메타포는 우리로 하여금 고차원적인 나를 발견하도록 해 주고 영적인 수준에서 인생의 의미를 발견하도록 한다. 영화는 집단 상담의 형태로 대인 관계를 치료하는 데 효과가 있다. 교육 장면에서도 집단에게 에너지를 주며, 대집단에서도 토론을 활성화시킬 수 있는 역할을 톡톡히 한다. 영화는 매체 특성상 여러 명의 대인 관계를 짧은 시간 동안 압축적이고 상징적으로 보여줄 수 있다. 주인공을 중심으로 주변 사람들의 다양한 반응을 보여줌으로써 대인 관계에 대한 탁월한 통찰을 제공할 수 있는 것이다.

영화치료에는 크게 3가지 접근법이 있다. 행동·인지적 접근, 정신분석적 접근, 정서심리학적 접근이다. '행동·인지적 접근'은 교육과 지시를 목적으로 한다. 영화는 보통 10분 이내로 관람한다. 대표 심리 기제는 관찰 학습이다. 모방과 분리 기법을 주로 사용한다. '정신분석적 접근'은 상담과 심리치료를 목적으로 한다. 영화 길이는 무관하다. 대표 심리 기제는 투사다. 영화를 꿈처럼 활용하는 자유 연상 기법을 통해 분석을 시도한다. '정서심리학적 접근'은 카타르시스에 초점을 맞춘다. 영화는 30분 이상 상영하거나 전체를 상영한다. 대표 심리 기제는 동일시다. 연합 기법을 주로 사용하고, 정화를 통해 교정적인 감정 경험을 유도한다. 지혜와 용기, 사랑과 이해, 열정과 호기심 등 긍정적인 심리와 연관되어 영화적 고양 상태를 경험하도록 한다. 영적인 차원이나 고차원적인 자아 상태를 경험할 수도 있다.

심리도식치료

우리는 주어진 환경과 다양한 경험을 통해 개인의 고유한 성격을 형성한다. 어린 시절에 형성된 성격과 행동 패턴은 우리의 삶에 큰 영향을 끼친다. 제프리 영의 '삶의 덫' 개념은 이것에서 비롯된다. 삶의 덫은 어린 시절 시작되어 일생 반복되는 패턴이다. 이는 무의식적으로 나타나고 반복되므로 본인은 문제를 인식하지 못한다. 알고 있다 해도 스스로 해결할 수 없을 정도로 내재된 심각한 문제다.

삶의 덫은 매우 강력한 힘을 가지고 있다. 왜곡과 오해, 미움과 반목, 시기와 질투, 싸움과 고립 등을 유발한다. 덫은 왜 그렇게 강력할까? 사람들은 보통 건강한 것보다는 익숙한 것에 더 끌린다. 덫은 어린 시절부터 늘 자신의 삶에 함께 있었으니까 자연스럽고 익숙하다. 익숙하고 오래된 자신과 있을 때 불확실성은 사라지고 예측 가능성에서 오는 안정감을 가지게 된다. 물론, 이성적으로는 건강하게 사는 것이 바람직하다는 것을 알고 있다. 하지만 익숙한 삶 대신 건강한 삶을 택하기에는 그 변화가 낯설고 당혹스러울 수 있다. 비록 파괴적이지만 익숙한 것으로 이끄는 힘은 건강한 것보다 더 강력하다. 여기에서 부모로부터 역기능이 대물림되는 것이다. 게리 솔로몬은 이렇게 말했다.

"역기능은 계속 반복되는 재주가 있다."

역기능의 한 부분이 덫이다. 역기능의 다른 부분은 이 덫이 유발되었을 때 덫에 대응하기 위해 학습하는 방식이다. 인간은 유년기 동안 덫에 반응하는 방식을 개발하고, 이 대응 방식은 성인기까지 이어진다. 그렇다고 평생을 덫에 갇혀서 살아야 한다는 것은 아니다. 다행히도 성인이 되면 우리는 건강하지 못한 행동을 알아차릴 수 있다. 자각하는 순간 우리는 변화할 수 있다.

집단심리치료

프로이트는 이렇게 말했다.

"개인심리학은 개인이 어떤 길을 걷고 있는가를 탐구한다. 그런데 개인의 정서적 삶 속에는 항상 누군가가 모델로, 협조자로, 반대자로 개입한다. 개인심리학의 출발은 집단심리학이라고 할 수 있다."

집단심리치료는 일대일 심리치료에 비해 여러모로 탁월하다. 개인심리치료에서 불가능한 여러 치유 현상을 경험하도록 한다. 집단은 '거울로 둘러싸인 방'과 같다. 우리는 집단에서 쉽게 상처를 받지만 동시에 집단에서 더 큰 도움을 받을 수 있다. 개인보다 집단 상황에서 훨씬 다양한 치료 요인이 작동한다.

집단심리치료는 우리에게 잉여 현실을 제공한다. 누구든 한 번쯤 과거 어느 시절로 돌아가서 그때 풀지 못했던 아픔을 달래주고 싶다는 생각을 해본 적이 있지 않을까. 그 시절로 돌아간다면, '그때는' 좀 더 괜찮은 모습으로 살 수 있지 않을까. 현실에서는 불가능하지만, 집단심리치료(사이코드라마)에서는 그런 기회를 가질 수 있다. 이러한 공간을 '잉여 현실'이라고 부른다. 제어할 수 없는 아픔으로 남아 있는 순간을 다시 한 번 현실로 부여받고, 그 시간으로 돌아가 아픔을 치료하는 것이다. 마음속 깊은 곳에 묻어둔 아픔을 잉여 현실에서 마주치면, 상처를 다 털어놓고 치료할 수 있다.

다양한 치유 요법

개인	집단
•자기 개방 •수용 •정화 •해석 •통찰 •조언 •모방	•희망의 고취 •보편성 •정보 전달 •이타심 •초기 가족 집단의 교정적인 재현 •사회화 기술의 발달 •모방 •대인 관계 학습 •집단 응집력 •정화 •실존적 인자

마치 상처에 약을 발라 치료하듯 말이다.

힐링 무비를 통한 삶의 덫 털어내기

힐링 무비는 나와 주변에서 반복되는 문제와 갈등을 18가지의 삶의 덫으로 분류해, 그 원인과 해결 방안을 정확하게 알 수 있도록 도와준다. 영화를 통해 나 자신의 덫뿐 아니라 나와 관계하는 주변 환경까지 파악하도록 도와주는 것이다. 이를 통해 만족스럽고 건강한 삶을 영위하기 위해 다시 시작할 수 있다.

힐링 무비는 18가지 삶의 덫이 우리의 생활에서 어떻게 드러나는지 알아보고, 진정한 나를 발견하여 더욱 건강하고 안정적인 생활을 할 수 있도록 하는 여행의 시작이다. 힐링 무비는 '참다운 나를 찾아 떠나는 영화 여행'인 셈이다. 마음의 문을 열고 그동안 소외되었던 자신의 모습을 돌아보는 여정이다. 어두운 마음의 세계로 끝없는 여행길에 오르는 일이기도 하다. 때로는 불안과 공포에 떨기도 하고, 분노와 자책에 몸서리치기도 하며, 슬픔의 늪에 빠질 수도 있고, 보챔으로 탈진될 수도 있다. 용기와 결단만이 우리의 의식적이고 무의식적인 현실과 대면하도록 도와준다. 우리는 불안으로부터 창조적인 긴장을, 공포로부터 절대자에 대한 경외심을, 분노로부터 자기 개혁의 에너지를, 자책으로부터 사색의 원동력을, 보챔으로부터 기발한 아이디어를, 슬픔으로부터 삼라만상에 대한 자비심을 발견할 수 있다.

힐링 무비는 우리를 성장과 성숙으로 가는 길로 안내한다. 인간에게 변화를 주는 전체적인 모델을 제시한다. '변화'란 현재 속에 감추어진 우리의 과거상(過去像)에서 반짝이는 지혜를 찾고, 현재 속에 숨겨진 우리의 미래상(未來像)에서 무한한 잠재력을 발견하는 것이다. 지평을 넘어 '영원'을 향한 길[道]에 한 발자국 성큼 들어섬을 의미한다. 우리는 작은 통찰(satori)을 통해 신선한 변화를 이룩하고, 큰 깨달음(enlightenment)을 통해 궁극적 변화(해탈)에 도달할 수 있을 것이다. 해탈이란 우리가 태곳적부터 그려왔던 꿈의 완성품이요, 우리가 잃어버린 파라다이스의 본향이다.

힐링 무비는 집단심리치료로 진행된다. 참여자들의 감상과 토론을 통해 자연스럽게 진행된다. 흥미진진한 스토리를 다룬다. Movie Story, My Story, Our Story를 공유하는 것이다. 지금 여기 마음속에서 떠오르는 생각과 느낌을 용기 내어 말해보자. 떠오르는 생각이나 느낌이 과거의 것이든 현재의 것이든 상관없다. 비밀을 모두 말하지 않아도 괜찮다. 스스로의 책임 아래 감당할 수 있는 부분을 토론해보자는 것이다. 인생이란 결국 홀로 가야만 하는 여정이니까 말이다.

우리는 자신이 내놓은 마음으로 다른 이의 마음과 만나게 된다. 허공에 떠돌다 사라지는 말보다는 진실한 만남에 더 초점을 맞춘다. 메마른 가뭄 상태에서 바람이 일고 천둥 번개가 치고 뒤이어 비가 올 수 있다. 그러나 우리는 마침내 날이 개고 무지개가 뜬 하늘을 보게 될 것이다.

힐링 무비는 이러한 만남의 여정을 통해 자신의 드라마를 새롭게 만들어내는 작업이다. 어쩌면 드라마는 미완성으로 끝날지도 모른다. 미완성이 된다 해도 드라마의 한 장면을 연출하기 위해 매 순간 최선을 다해야 한다. 우리에게 중요한 것은 결과가 아니라 과정이니까 말이다. 이러한 체험은 우리로 하여금 더 큰 것에 머물 수 있는 지혜를 준다. 생활보다는 삶이 크고, 사실보다는 진실이 크며, 성보다는 사랑이, 몸보다는 혼이, 사회보다는 자연이, 현실보다는 실재가, 문제보다는 신비가 큰 것이다. 우리의 부끄러움은 아름다움으로 승화될 것이다. 모든 만남은 참여한 멤버들의 노력을 통해 결실을 맺는다.

나의 삶을 바꾸는 힐링 무비

영화 〈그리스도의 마지막 유혹(Last Temptation of Christ)〉(1988)은 니코스 카잔차키스의 소설을 스크린으로 옮긴 것이다. 마틴 스콜세지가 연출하고 윌리엄 데포와 하비 케이틀이 주연한 할리우

드 영화다. 이 영화는 예수가 광야에서 기도한 후 예루살렘 성전에 와 겟세마네 동산의 십자가에서 처형될 때까지의 3년을 다루었다. 기존의 예수 관련 영화와는 달리 흥미진진한 어법으로 진행된다. 2002년 국내에서 개봉되었지만, 기독교계의 반발로 일주일 만에 상영이 중단되었다. 제작되던 그해 미국에서도 '악마의 필름', '신성 모독' 등 논란이 끊이지 않았다. 하지만 이 영화의 원작자 카잔차키스는 소설《그리스도의 마지막 유혹》으로 1951년 노벨상 후보에 올랐고, 마틴 스콜세지도 1989년 아카데미 감독상에 노미네이트 되었다.

《그리스도의 마지막 유혹》은 1950년 출판 당시부터 이단 논쟁에 휩싸여 30년가량 법적 규제를 받다가, 원작자 사후 20년이 지나서야 빛을 본 '문제적 소설'이다. 이 소설은 완전한 신(神)인 동시에 완전한 인간의 모습으로 땅으로 내려왔다는 예수를 객관적 입장에서 다룬다. 자연스러운 질문을 시도한 데서 나온 대답이라 할 수 있다. 카잔차키스는 '거룩한 예수'의 삶과 내면 세계를 다루면서, 예수의 행적을 더듬고 주변 인물들의 시점에서 바라보는 기존 방식에서 흔히 사용했던 '간접 화법'에서 과감하게 벗어났다. 우리와 똑같은 인간으로 내려온 예수의 내면 세계를 곧바로 파고 들어가는 '직접 화법'을 선택했다. 카잔차키스는 이렇게 말했다.

"내가 이 책을 쓰게 된 동기는 투쟁하는 인간에게 숭고한 귀감을 제시하고 싶어서다. 그리스도는 고통에 시달렸고 고통을 신성으로 받아들였다. 유혹은 그리스도가 길을 잃게 하도록 마지막 순간까지 애를 썼지만 결국 패배했다. 그리스도는 십자가에 못 박혀 죽었고, 그 순간 죽음은 영원히 정복된 것이다. 이 책은 전기가 아니고 투쟁하는 모든 인간의 고백이라 할 수 있다."

스토리텔링

영화 속 예수는 로마군에게 십자가를 만들어 파는 목수로 등장한다. 예수는 자신의 직업으로 죄의식을 느끼고 하나님에 대해 두려움도 느낀다. 예수는 점차 하나님이 사랑임을 깨닫고 유다와 함께 하나님을 세상에 전하고자 길을 떠난다. 그 과정에서 예수는 신기한 기이한 행적과 권능으로 대중들의 절대적 지지를 받고, 대중들은 예수가 새로운 정치 질서를 가져올 것이라고 기대한다. 그러나 예수는 두려움과 갈등 가운데서 자신의 길이 혁명과 구원이 아닌 하나님의 나라를 만드는 것임을 깨닫는다. 예수는 자신을 정치적 지도자로 여기는 대중들의 요구에 따를 수 없다. 이런 예수에게 대중들은 실망하고 이 기회를 노려 로마 군인들은 예수를 정치적 이유로 십자가에 못 박는다.

'예수의 마지막 유혹'은 십자가 위에서 이루어진다. 예수는 극심한 고통 탓에 하나님을 원망하기에 이른다. 하나님이 자기를 버렸다고 외치기까지 한다. 이런 가운데 주위의 떠드는 소리가 예수에게 들려오지 않게 되고, 순간 자신의 발 앞에 앉아 있는 아름다운 소녀를 본다. 이 소녀는 자신을 수호천사라고 소개하면서 예수가 시험을 무사히 통과했다고 말한다. 마치 아브라함이 하나님에게 순종해 자기 아들 이삭을 바치려 했으나, 결국 하나님이 준비해놓은 양을 통해 이삭을 구원했듯이, 예수도 그렇게 구원하려 한다는 것이다. 마침내 예수는 소녀의 인도를 받아 십자가에서 내려와 소녀와 동행한다.

십자가에서 내려온 예수에게 소녀는 참다운 천국에 대해 다음과 같이 말한다.

"마음과 세상의 조화가 천국이다."

이런 말을 증명이라도 하듯 세상과 조화롭게 살기로 마음먹는 순간 예수는 행복을 느낀다. 예수는 막달라 마리아와 결혼해 평온한 삶을 살아가며, 마리아가 죽은 후에는 나사로의 동생 마리아, 그리고 마르다와 결혼하여 자식을 낳고 행복하게 살아간다. 세상에는 여자가 하나 있을 뿐이며 얼굴만 바뀌고 있을 뿐이다. 예수는 자신의 삶이 행복하다고 느끼며 심지어 지난날 세상에 새로운 질서를 만들겠다고 나선 자신의 모습을 부끄러워하며 세상의 평범한 질서를 대변한다.

이러한 예수가 어느 날 사도 바울을 만난다. 바울은 예수가 십자가에서 하나님의 나라를 위해 죽었으며 부활했다는 요지의 설교를 한다. 이런 바울의 말에 예수는 큰 불쾌감을 느낀다. 예수에게 바울은 죽지도 않은 자기를 죽었다고 거짓 사실을 유포하고 다니는 자인 셈이다. 이런 예수에게 바울은 예수가 비록 죽지 않았더라도 '신학적'으로 죽어야 한다고 말한다. 십자가에서 죽은 예수는 낡은 질서 너머에 있는 새로운 질서의 실현을 바라는 사람들에게 희망이기 때문이다. 즉, 예수가 십자가에서 내려와 '세상과 조화'를 이루고 살면, 세상에 대한 적극적인 부정과 이를 통해 새로운 질서의 도래를 바라는 희망이 무너지는 탓이다. 이런 바울의 논리에도, 예수는 자신의 길을 되돌리지 않겠다는 듯 자신은 지금 행복하다고 읊조린다.

이후 나이가 든 예수는 죽음을 맞이할 때가 다가온다. 죽음에 임박한 예수에게 뜻하지 않은 손님들이 찾아온다. 예수의 옛 제자인 베드로, 안드레, 요한 그리고 영화에서 줄곧 중요한 역할을 담당하는 유다다. 제자들은 비록 사실이 아닐지라도 예수의 죽음을 믿고 사도로서 혹은 열심 당원으로서 성실하게 살아온 자들이다. 예수는 이 제자들을 반갑게 맞이하고 제자들도 예수가 무척이나 그리웠노라고 고백한다. 하지만 유다는 예수가 십자가에서 죽었어야 했다고 화를 낸다. 유다는 예수의 부탁으로 예수를 로마 군인들에게 팔았던 자다. 유다는 예수가 정치적 메시아가 아니라 하나님의 나라를 위해 자신을 희생하려는 자임을 알았던 것이다. 그런데 예수는 자신을 희생하겠다던 애초의 약속을 버리고 '세상과의 조화'를 위해 십자가를 피했으니 화가 나서 예수를 비판한 것이다. 유다의 말을 들은 예수는 기운 없는 몸으로 하나님에게 부르짖는다. 자기에게 다시 한 번 세상을 구원할 기회를 달라고 말이다. 그때 바로 예수는 다시 십자가 위로 되돌아가게 되고, 꿈은 깨지고 현실로 돌아와 "다 이루었다"는 말을 남기고 숨을 거둔다.

영화 감상

영화 〈그리스도의 마지막 유혹〉을 통해본 예수는 어떤 사람이

셀프 매트릭스

	장점	단점
내가 아는 부분	Ⅰ 지각된 장점 삶에 충실한 가식 없는 솔직한 인간적인	Ⅱ 지각된 단점 나약한 죄의식에 시달리는 두려움과 불안에 떠는 외로운
내가 모르는 부분	Ⅲ 투사된 장점 소명·사명 의식 인류 사랑 죽음의 극복 조용한 리더 혁신적인 리더	Ⅳ 투사된 단점 유혹에 빠지는 세상과 조화하는 십자가를 피하는

고, 어떤 삶을 살았을까. 이 영화에서 예수는 영웅적인 리더가 아니다. 고뇌에 찬 인간적인 리더다. 궁극적으로 자기 혁신을 통해 주위를 변화시키는 혁신적인 리더의 모습이다. 영화에 나타난 예수의 특징이 궁금할 것이다.

첫째, 예수는 맡은 바 주어진 삶에 충실했다.

예수는 목수의 아들로 태어나 목수 일을 한다. 당시 이스라엘은 로마의 속국이었고 이에 반발하여 항쟁하는 독립투사들에게는 무서운 '십자가 형벌'이 내려졌다. 골고다의 언덕에는 나라를 위해 숨진 수천 개에 달하는 애국지사의 해골이 있었다.

예수는 아이러니하게도 자기 민족을 죽이기 위한 '십자가의 형틀'을 만드는 목수다. 영화는 예수가 목수 일을 하면서 고통스러워하고 번민하는 장면과 열심 당원 유다가 이런 나약한 예수를 비난하고 질책하는 장면에서 출발한다.

예수는 한 예언자를 못 박기 위해 십자가를 만들고, 그 십자가를 기꺼이 지고 가며, 못을 박는 순간까지 그 사내를 붙들고 두려움과 죄의식으로 전율한다.

물론 예수는 귀신이나 악령에 사로잡힌 듯하고 근원을 알 수 없는 목소리에 점령당하기도 하며, 육체를 못 이겨 쓰러지기도 하는 등 고통을 받는다. 이미 태어나면서부터 신의 부름을 받고 인류의 구원자로서 신이 되기로 예정되었을 수도 있다. 하지만 '정치 혁명'이 아닌 '십자가의 죽음'을 선택하는 예수의 소명이 어쩌면 십자가의 형틀을 만드는 목수라는 자신의 직업에서 동기화되었을 수도 있다. 탄생 설화에 의해 신격화되어 여러 의견이 분분하지만, 어쨌든 예수의 미래는 자신의 과거에 의해서 일부 각인되고 동기화된 것이다.

예수는 어느 날 갑자기 나타난 전지전능한 신이나 하늘에서 뚝 떨어진 위대한 영웅이라기보다는 자신의 과거에 충실한 인간이었다고 할 수 있다. 예수는 당시 혼돈스러운 시대적 정황에서 십자가를 만드는 목수에서 십자가를 지고 가는 구원자로의 변화와 혁신을 이룬 외적인 일관성과 내적인 통정을 보여준 삶을 살아갔다고 할 수 있다. 이러한 조화와 균형이 예수로 하여금 생물학적, 심리학적, 사회학적 초월을 이루는 기본 바탕이 되었던 것이다.

둘째, 예수는 가식이 없고 자신의 감정에 솔직하다.

예수가 불확실성에 노출되어 두려움과 불안에 떠는 모습은 영화 전체에 녹아 있다. 처음부터 '내부의 소리'에 사로잡혀 공포에 휩싸여 있는 예수의 모습을 그렸다. 강가를 거닐면서도 계속해서 뒤를 돌아보고 작은 발자국 소리에도 깜짝깜짝 놀란다. 가위에 눌려 몸부림치고 쓰러지는 모습은 처절하기까지 하다. 이러한 나약한 예수의 보호자 겸 맏형으로, 신체적으로 장대하고 정신적으로 강인한 유다가 등장한다. 예수는 씨 뿌리는 비유를 전한 후에도 자신과 하나님에 대한 확신이 부족해 공포에 떨면서 유다의 품에 안겨 잠을 청한다.

예루살렘에 입성해 정치적인 혁명을 시도하려는 순간, '내부의 소리'가 멈추고 힘이 빠지면서 손바닥에 핏자국이 나타난다. 극심한 공포에 빠져들 때도 유다의 보호에 자신을 내맡긴다. 어쩌면 열심 당원인 유다의 눈으로 볼 때, 로마의 지배하에 백성이 저항하는 당시 상황에서 '정치 혁명'이 아닌 '인류 사랑'을 외치면서도 힘들 때마다 자신에게 의지하는 예수가 딜레마였을지도 모른다. 예수는 '십자가의 죽음'이라는 마지막 소명을 완수하려고 유다에게 의지하는데, 두려움으로 자신의 결심이 흐트러지지 않으려고 자신을 배신하여 로마군에 넘겨달라고 요구한다.

예수의 두려움과 불안은 아마도 예수를 메시아로 만들기 위한 암시였을지도 모른다. 감독 스콜세지는 신이었던 예수를 인간화하기 위한 무기로 가장 원초적인 본능인 '두려움'을 부각시킨 것 같다. 두려워하는 인간, 그러므로 가장 인간다운 인간, 영웅도 초인도 신도 아닌 하잘것없는 보통의 인간, 신은 원래 이렇게 평범한 인간이었다는 것이다.

예수는 산상 복음을 전할 때 주저하다가 내부의 소리에 힘입어

첫 단어를 '사랑'이라고 외친다. 사랑이야말로 수많은 이론과 법칙을 아우르는 대원칙이다. 미움과 타락과 공포와 죄악에서 살아남을 수 있는 최선의 방법이다. 우리를 구원할 수 있는 유일하고도 근원적인 방법이다. 예수는 스스로 십자가 위에서 죽음을 선택함으로써 '도끼'가 아닌 '사랑'의 길을 열었다. 이 모두가 자신의 두려움과 공포를 사랑으로 초월하고 극복한 결과라고 할 수 있다.

셋째, 예수는 확고한 소명 의식을 가지고 외롭게 혼자만의 길을 걸어갔다.

예수의 위대한 용기와 결단은 항상 혼자만의 시간을 통해 이루어졌다. 예수는 자신을 괴롭히는 '내부의 소리'에 대한 해답을 얻기 위해 과감히 집을 나선다. 하나님으로부터 자신의 소명과 사명을 확신하기 위해서 수도원에 들어갔고, 하나님을 직접 만나러 사막으로 들어가 40일간 단식했다. 로마군에 잡혀 십자가에 못 박히기 전, 제자들이 다 쓰러져 자는 동안에도 겟세마네 동산에 올라가 홀로 기도했다.

광야의 유혹 장면은 매우 인상적이다. 예수는 어둠 속에 주저앉아 있다. 원을 그려놓고 한 달 동안 꼼짝도 하지 않는다. 가장 먼저 '뱀'이 등장한다. 매혹적인 목소리로 유혹한다. 이 뱀은 처음 길을 떠났을 때 수도자들의 초막에 나타났던 그 뱀이다. 막달라 마리아로 상징되는 과거의 미망이었을지도 모른다. 뱀을 떠나보내고 예수는 크게 흐느껴 운다.

다음으로 장대하게 생긴 '사자' 1마리가 나타난다.

"나와 결합하라. 너는 네 스스로 가진 권능을 이미 알고 있다. 너 또한 그것을 사용하고 싶어 한다. 무엇을 망설이는가?"

세 번째는 '불꽃'이었다. 활활 타오르는 불길 역시 예수를 유혹한다.

"대체 무엇을 망설이는가? 너의 의지만 있다면 못할 일이 없지 않은가."

하지만 예수는 모든 시험을 다 이겨낸다. 그때 요한이 나타나서 예수가 그어놓은 금 밖에 솟아난 사과나무 1그루를 가리킨다. 그러고는 도끼를 들어 찍으라고 말한다. 예수는 도끼를 들어 힘차게 나무 밑동을 내리친다.

요한이 죽었다는 소식을 듣고 혼란에 빠진 제자들에게 돌아온 예수는 완전히 다른 사람이었다. 광야의 유혹을 이겨낸 후 매우 담대해지고 강인하며 단호한 카리스마를 가진 사람이 되었다. 예수는 가슴에 손을 넣어 자신의 심장을 꺼내 자신의 무기임을 보여준다. 다음 날 성전으로 몰려가 상인들의 환전대를 뒤엎는다. 두 번째 날 성전에 들어갈 때는 환호의 물결이 예수를 둘러싼다. 변절한 유다를 질타하던 열심 당원까지 가세해 저마다 무장을 하고, 황금의 성 예루살렘에 들어선다. 옛 전통에 따라 지도자는 나귀를 타고, 사람들은 발밑에 겉옷을 깔았다. 종려나무 가지가 하늘을 뒤덮고, 열광하는 자들은 이윽고 예수와 함께 성전 계단을 향해 돌진한다. 바야흐로 혁명이 이루어지는 것이다.

넷째, 예수는 낭만적인 삶과 행복한 가족생활의 유혹을 넘어서 인류 사랑을 실현했다.

소녀로 변신한 사탄이 제안한 마음과 세상의 조화인 '마지막 유혹'은 어쩌면 덜 충격적이다. 평범한 사람들처럼 사랑하는 여자와 결혼하고, 자식을 낳고, 부인의 죽음을 경험하고, 새로운 결혼을 시도하고, 그러면서 늙어가는 과정을 그렸다. 인간의 보편 가치인 소시민적인 낭만적 삶과 행복한 가족생활을 그린 셈이다.

충격적인 사건은 행복하게 살던 예수가 거리에서 어떤 설교자를 만나는 순간이다. 결국, 바울로 밝혀진 그 남자는 바로 예수 자신을 전파하고 있었다. 예수에 관한 복음을 외치고 있었던 것이다.

"예수를 믿으시오! 예수는 세상을 구원하려고 십자가 위에서 자신의 목숨을 버렸습니다."

예수가 틀렸다고 바울을 제지한다. 나는 죽지 않고 이렇게 살아서 늙어가고 있다고 말한다. 영화에서 사탄은 짧은 시간이지만 예수를 현장으로부터 벗어나게 했고, 달콤한 가상 세계에서 예수는 더할 수 없는 안온함을 느낀다. 예수는 약한 인간이었고, 신이 아니었으며, 두려움에 떨었고, 그래서 십자가의 죽음을 거부했다. 비어 있는 십자가는 유혹의 결과이면서 도피 현장이다. 어쩌면 빈 십자가는 우리 모두의 내밀한 욕망일지 모른다. 현실을 떠난 예수, 피 흘려야 할 상황을 도피한 예수, 정갈하고 깔끔하게 교리로 정리된 예수, 손질이 잘되고 깨끗하게 닦인 금속이나 나무로 만든 비어 있는 십자가는 자신의 고백이 아닌 종교적인 교독문을 암송하는 현대인의 자화상일 수 있다.

그럼에도 예수는 "다 이루었다"는 마지막 말을 남기고 십자가

위에서 죽음을 맞이한다. 현실이라는 대못에 찔리고, 죄악이라는 창에 상처입고, 적대감이라는 무덤에 갇힌 예수는 다른 곳이 아닌 십자가 위에서 죽었다. 예수는 전 인류의 구원이라는 역사적인 '사랑의 드라마'를 이루어낸 것이다. 감독 스콜세지는 아마도 현실로부터 도피해 이 세상 모든 사람이 소망하는 '세상과의 조화'를 통한 작고 아름다운 삶을 누리려는 욕망을 '마지막 유혹'으로 간주했던 것은 아닐까. 결국, 예수는 유혹을 이기고 십자가에 몸을 맡김으로써 자신의 소명과 사명, 그리스도의 비전을 실현했다. 그로 인해 우리에게 고통과 유혹 그리고 죽음을 극복하는 인류의 미래상을 보여주었다.

다섯째, 예수는 죽음을 극복하고 최후의 승리를 거두었다.

예수는 십자가 위에서 죽고 사흘 만에 부활했다. 죽음을 초월하고 최후의 승리를 거둔 것이다. 인간은 불사(不死)나 구원 등에 매달려 죽음 자체를 보지 않으려고 한다. 죽음을 부정하는 것은 결국 인간의 본성을 거부하는 것이다. 죽음을 부정할수록 죽음에 대한 불안은 커질 수밖에 없다. 오히려 죽음을 바로 보는 것이 진실한 삶을 영위할 수 있다. 인간은 모두 죽는다. 언젠가 우리의 '있음'은 '없음'으로 대체된다. 인생이란 '있음'에서 '없음'으로 가는 길이고, 처음에서 마지막으로 가는 단 한 번의 여정이다. 그러므로 죽음과 같은 무의식적인 실존에 대한 통찰은 우리로 하여금 '지금 여기'의 현재에서 흘러가는 순간에 머물도록 해준다. 죽음을 마주했을 때 우리는 인간관계를 풍요롭게 하고 삶과 인생을 더욱 사랑할 수 있다.

당신은 힐링 중인가?

한 청년이 불치병에 걸렸다. 남은 삶은 단 몇 년뿐이었다. 청년은 지인의 도움을 받아 깊은 산속에 있는 사찰에서 기거하기로 했다. 청년은 사찰에서 지내며 매일 자신이 걸어온 길을 되돌아보았다. 살면서 크게 잘못한 것도 없고 남을 해한 적도 없다. 가끔은 좋은 일도 했다. 그런데 죽을병에 걸리다니 말이다. 청년은 하나님을 원망하고 또 원망했다.

그러던 어느 날, 불현듯 이 세상에 '태어난 죄'에 대한 생각이 떠올랐다. 동시에 '살아온 죄'에 대한 생각도 몰려왔다. 사람으로 태어나 사는 동안, 자기도 모르게 저지른 모든 행위가 눈앞에 펼쳐졌다. 청년은 한없이 울고, 울고, 또 울면서 뉘우쳤다. 그렇게 3년이 흘렀다. 청년이 앓는 불치병은 기적처럼 사라졌다.

궁극적인 힐링이란 과연 무엇일까? WHO에서는 건강을 생물학적·심리적·사회적·영적 웰빙 상태라고 한다. 궁극적인 힐링은 궁극적인 건강을 통해 이루어진다. 즉, 몸과 마음과 영혼의 힐링이다. 궁극적인 힐링을 위해서는 몸으로 지은 죄에서 벗어나야 하고, 그 다음에 마음으로 지은 죄에서 벗어나야 한다. 기도를 통해 마음의 평화를 얻어야 한다. 궁극적인 힐링은 영혼의 힐링을 통해 완성된다. 영혼의 힐링은 하나님과의 관계 회복을 통해 이루어진다. 성경에 이런 말이 있다.

"그대의 영혼이 건강한 것처럼 그대의 모든 일이 잘되고 몸도 건강하기를 기도하노라."

예수는 인류의 죄를 사하기 위해 십자가에 못 박혀 목숨을 잃었다. 우리는 예수의 십자가를 통해 하나님과 화해하고, 예수의 피를 통해 죄에서 용서받은 것이다. 회개는 죄의식을 벗어나기 위한 행위가 아니다. 진정한 회개는 원죄에서 벗어나 우리에게 원래 있었던 고차원의 세계를 회상하는 것이다.

생명의 기운 회복하기:
기체조

옛날에 한 청년이 도술을 배우고 있었다. 어느 날 청년은 다른 스승 밑에서 수련을 하는 친구를 만났다. 둘은 그동안에 있었던 일들에 대해 담소를 나누며 회포를 풀었다. 청년이 먼저 자기가 겪은 경험을 말했다.

"내 스승은 대단한 능력이 있어. 한 장소에서 붓을 가지고 글을 쓰면 다른 장소에 있는 하얀 종이에 그 글이 그대로 나타나."

친구도 자신의 경험을 이야기했다.

"내 스승은 신통력이 있어서 아주 멀리 있는 사람들이 나누는 대화를 그대로 들을 수 있어."

누구나 한 번쯤은 영화에 나오는 주인공처럼 하늘을 나는 상상을 해본 적이 있을 것이다. 〈스타워즈〉를 보며 공간 이동을 꿈꾸고 〈매트릭스〉를 보며 시간 이동을 꿈꿔보았을 것이다. 유체 이탈이나 공중 부양, 텔레파시, 미래 투시 같은 신비한 능력을 갖게 되는 달콤한 상상에 빠지기도 한다.

심리학자인 칼 구스타브 융은 20세기 초 중국 도교의 비법서를 《황금 꽃의 비밀(Golden flower)》이라는 제목으로 서양에 소개했다. 원명은 《태을금화종지》다. '태을(太乙)'은 하늘에서 가장 높은 신을 가리키고, '금화(金華)'는 황금으로 만들어진 꽃을 가리키며, '종지(宗旨)'는 핵심이 되는 내용이라는 뜻이다. 즉, '하늘에서 가장 높은 신과 황금 꽃에 관한 핵심 내용'을 담고 있다는 뜻이다. 이 책은 동양의 명상에 관한 내용은 물론, 기 수련과 내단(內丹) 수련에 관한 내용도 담고 있다.

내단이란 '몸속에 생기는 둥근 약 같은 덩어리'를 말한다. 내단은 철학적이고 종교적이며, 생리적이고 의학적인 의미까지 지닌 포괄적인 말이다. 동양 문화권에서는 성인들에 의해 고대부터 내면세계에 대한 성찰이 이루어졌다. 이에 마음을 다스려서 건강을 유지하고 각종 질병을 극복하며 생명의 한계를 넘어 깨달음의 경지에 이르는 비법들이 계발되었다. 내단은 우리나라에서 국선도나 단학 등으로 알려져 있다.

《황금 꽃의 비밀》에는 기 수련을 다음과 같이 기술하고 있다.

기 수련을 꾸준히 하다 보면 삼라만상이 고요해지고 마음은 극히 고요한 정적 속에 빠져들게 된다. 광명이 충만하여 밝은 달이 떠 있는 듯하고 대지가 모두 광명의 경계가 되는 것처럼 느껴진다. 본성이 밝게 열리고 금화가 빛을 뿌리는 현상을 경험하게 된다. 기(氣)가 환히 빛나 어둠이 전혀 없는 굽이치는 대광명의 모습, 이것이 바로 참 성품인 본래의 모습이다.

기 수련은 몸과 마음을 안정시키는 데 도움이 된다. 호흡 조절, 심상 훈련, 점진적 이완 훈련, 명상, 요가, 시각화, 자기 최면, 자생법, 스트레칭, 자율 훈련, 마사지, 이완 테이프 듣기, 걱정 통제법, 생각 중지법, 안구 운동 기법, 합리적 정서치료, 자기주장 훈련, 분노 조절 훈련, 목표 설정, 시간 관리, 식이 요법, 운동 등을 통해 긴장을 완화하고 스트레스를 극복할 수 있다.

기체조, 어디까지 알고 있는가?

기(氣)란 현상계에 있는 모든 존재와 기능의 근원이다. 우주를 변화시키고 만물을 생성시키는 것이다. 따라서 모든 생명체는 기의 취합이라 볼 수 있다. 생명체는 순수하고 정밀한 기 에너지가 몸을 끊임없이 순환함으로써 작동하고 생명이 유지된다. 기는 어떤 사물의 내부에 존재할 때는 입자와 같은 작용을 하고 사물의 외부로 나타날 때는 파동과 같은 성격을 지니기도 한다.

동양 철학에서는 예부터 우주를 음양으로 구성된 태극으로 표현하고, 모든 삼라만상이 기의 응집으로 생성되었다고 보았다. 불교의 《반야심경》에서도 '색즉시공, 공즉시색'이라 하여 물질은 보이지 않는 기(氣)이고, 이러한 기인 공(空)이 물질이 된다는 진리를 설파하고 있다.

기체조는 기공(氣功)이라고 부르는데, 문자 그대로 숨[氣]에 공(功)을 들이는 건강법이다. 기공은 예부터 전해 내려오는 각종 양생법을 종합한 것으로 크게 호흡 조절, 체조 동작, 의식 훈련 셋으로 구성된다. 현대 기공은 무술 기공, 보건 기공, 의료 기공으로 나뉘며, 중국에서는 1950년대부터 기공을 정책적으로 장려하여 '국민 건강법'으로 승격시키면서 다음과 같이 정의했다.

> 기공이란 기의 흐름을 정상적으로 유도하여 심신의 건강을 도모하기 위한 동양 체육학의 집대성이다. 기는 오관을 통해 감촉하는 형태와 영감이나 의지력으로 느끼는 형태로 존재하는데, 이 2가지는 서로 간섭하고 교차하면서 변화를 꾀한다. 인간은 신체의 경락을 열어주는 기공의 삼조(三調)를 통해 기를 잘 조화시켜 심신 단련, 긴장 완화, 진기 촉진, 도덕 수양, 지력 개발, 특수 능력 개발, 질병 예방, 무병장수에 이를 수 있다.

기체조의 핵인 삼조는 몸을 조율하는 조신(調身), 음식을 조절하는 조식(調息), 마음을 다스리는 조심(調心)이다. 기체조의 목적은 '하늘에서 받은 생명(生命)을 건강하게 유지하면서 본래의 성품(性品)을 닦는 것'이다. 자기 사랑, 감촉을 통한 명상, 무병장수, 육체를 넘어서는 기체(氣體)의 개발, 신비 체험을 목표로 한다. 기체조의 효과는 다음과 같다.

*모든 생리 기능이 왕성해진다.

*체질이 강화되어 좀처럼 병에 걸리지 않는다.
*항상 정력과 활력이 넘치게 되어 늙지 않는다.
*병을 치료하는 데 큰 도움이 된다.
*지능을 향상시키고 잠재 능력을 발휘할 수 있게 된다.
*인격 성숙을 도와 모든 일에 초연할 수 있게 해준다.

기체조의 특징은 다음과 같다.

*기공에는 수많은 방법이 있으므로 체력, 체질, 병증, 연령에 따라 가장 적합한 방법을 선택할 수 있다.
*누구나 혼자 배워서 할 수 있다.
*각자 육체적 조건과 능력의 범위 내에서 하는 것이므로 배우기 쉽다.
*특별한 장소나 시설이 필요 없이 어디서나 할 수 있다.
*언제나 마음만 먹으면 잠깐씩 할 수 있다.
*쉬면서 하는 운동이어서 피곤할 때 큰 효과가 나타난다.

기체조를 통한 수양

기체조는《중국기공사전》에 수록된 기법만 무려 1092종에 이른다. 내용에 따라 정신 수양을 하는 성공(性功)과 신체 단련을 하는 명공(命功)으로 나뉜다. 작용에 따라 무술 연마를 위한 경공(硬功)과 건강과 치료를 위한 연공(軟功)으로 나뉘기도 하며, 형태에 따라 몸의 움직임이 없는 정공(靜功)과 움직임을 동반하는 동공(動功)으로 분류되기도 한다. 종교적인 뿌리에 따라 도가공, 불가공, 유가공, 무가공, 의가공으로도 나뉜다.

기체조는 호흡과 동작, 의식으로 구성된다. 숨과 운동과 정신 집중이라고도 하는데, 기체조의 가장 기본이 되는 운동 부위는 귀, 어깨, 팔, 손바닥, 발바닥이다. 가장 중요한 부위로 용천과 백회가 있으며, 용천은 발바닥의 가장 중요한 지압지(경혈)로서 발가락으로부터 발바닥 길이의 3분의 1쯤 되는 중앙에 위치하고, 백회는 머리 위 가마가 있는 곳에 위치한다.

기체조를 할 때는 다음과 같은 사항을 항상 유의해야 한다.

*호흡과 동작을 잘 조화시켜야 한다.
*숨을 들이쉬고 정지한 상태로 혹은 숨을 들이쉬면서 운동한다.
*매 동작을 실행한 후 멈추었던 숨을 내쉬면서 느낄 수 있는 모든 것을 의식한다.(예: 따뜻한 부분이나 찌릿한 부분)

눕는 자세

① 준비 운동(I): 누워서 양팔과 양다리를 편안히 벌린 채로 있다가 두 팔 머리 위로 곧게 뻗고 두 다리를 모아서 발끝까지 곧게 펴 일직선을 만든다. 그다음 다시 사지를 벌리고 몸 전체를 이완시킨다. 수차례 반복한다.

② 준비 운동(II): 누워서 양팔, 양다리를 자연스럽게 벌린 상태에서 두 엄지손가락을 각 손바닥 안쪽에 넣어 가볍게 아기 주먹을

눕는 자세

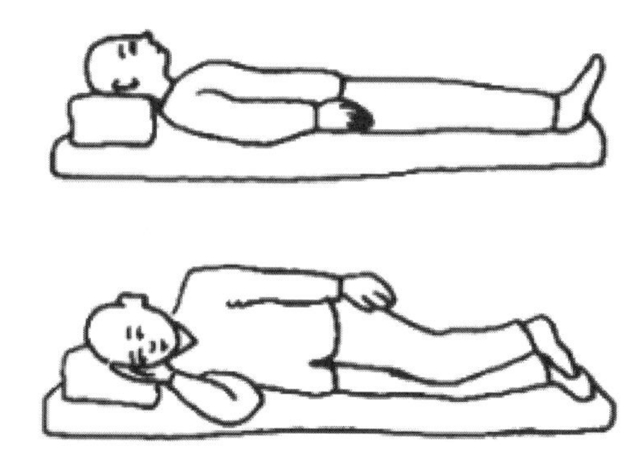

쥔다. 그다음 손바닥을 펴고 이완시킨다. 수차례 반복해본다.

③ 준비 운동(III): 누워서 서로 발목을 포갠 상태로 오른발을 왼발 위에 올려놓는다. 그다음 엉덩이 밑으로 양손을 반쯤 넣어 손바닥이 살에 닿도록 한다. 이런 자세로 눈을 감은 채 호흡 수를 세면서 숨을 20~30번 쉰다.

④ 편안히 누운 상태에서 양손은 서로 깍지를 끼고 손등이 위로 가게 하여 배꼽 위에 얹어놓는다. 그다음 양발은 서로 발목을 포갠 상태에서 오른발을 왼발 위에 올려놓는다. 이런 자세로 눈을 감은 채 호흡 수를 세면서 숨을 쉬든지 잠을 잔다.

⑤ 편안히 누운 상태에서 두 엄지손가락을 각 손바닥 안쪽에 넣어 아기 주먹을 쥔 후, 오른손은 배꼽 부근에 왼손은 심장 부근에 자연스럽게 올려놓는다. 그다음 양발은 서로 발목을 포갠 상태에서 오른발을 왼발 위에 올려놓는다. 이런 자세로 눈을 감은 채 호흡 수를 세면서 숨을 쉬든지 잠을 잔다.

⑥ 오른쪽 손바닥이 귀를 막지 않도록 조심하면서 오른쪽 머리 밑에 대고 오른쪽으로 돌아눕는다. 오른발은 쭉 뻗고 왼발을 오른발 위로 구부린 채 포개놓고, 왼손은 항문 근처 왼쪽 엉덩이에 올려놓는다. 이런 자세로 눈을 감은 채 호흡 수를 세면서 숨을 쉬든지 잠을 잔다.

⑦ 오른쪽으로 돌아누워 양다리를 모아서 구부린 후 양손은 합장하여 허벅지 사이로 넣고 턱은 안쪽으로 당긴다. 이런 자세로 눈을 감은 채 호흡 수를 세면서 숨을 쉬든지 잠을 잔다.

걷는 자세

① 어깨를 편다. 가슴을 앞으로 내밀고 양어깨는 뒤로 제쳐 힘을 뺀 다음 양팔은 등 뒤로 뻗어 자연스럽게 내린다.

② 턱은 안쪽으로 당긴다. 고개는 숙이지 않고 눈은 정면을 향한다.

③ 발뒤꿈치를 들고 발끝으로만 걸어본다. 다음 발끝을 들고 발뒤꿈치로만 걸어본다. 진흙을 밟을 때처럼 발가락에 힘을 주면서 걷는다. 어디를 가려 하지 말고 마치 제자리에서 빨래를 밟는 것처럼 상상한다.

④ 손은 두 엄지손가락을 각 손바닥 안쪽에 넣어 아기 주먹을 쥔 채로 걷는다.

⑤ 오른발을 들어 천천히 앞으로 옮기면서 가만히 바닥에 내려놓는다. 다음 왼발을 들어 앞으로 옮기면서 바닥에 내려놓는다. 동작에 맞게 천천히 숨을 쉬면서 매 단계를 의식하고 절도 있게 완결시킨다.

서는 자세

서는 자세

① 양다리를 자연스럽게 벌리고 어깨는 편다. 턱은 약간 안으로 끌어당기고 입은 지긋이 다물며 혀끝은 입천장에 붙인다. 양손은 가볍게 주먹을 쥐어 양쪽 허벅지 바깥쪽에 붙인다. 무릎은 약간 앞쪽으로 구부린다.

② 자신의 키 높이만큼 땅 밑에 뿌리가 나서 자기가 지구에 단단히 부착되어 지구와 하나로 연결되어 있다고 상상해본다.

앉는 자세

① 가부좌나 반가부좌로 앉아서 양 무릎과 양다리가 방바닥에 닿도록 한다. 어깨는 펴 척추를 곧게 하고 엉덩이는 살며시 뒤로 뺀다.

② 턱은 약간 안으로 끌어당기고 입은 지그시 다물며 혀끝은 입천장에 붙인다. 눈은 감거나 반쯤 뜨고 1~2미터 앞 방바닥을 응시한다.

③ 손은 무릎 위에 놓거나 가볍게 열 손가락을 맞대어 기를 쌓는다. 또는 왼쪽 손바닥에 오른쪽 손등을 얹어놓고 두 엄지손가락의 면을 맞대어 배꼽 밑 단전 부근에 붙여 댄다.

앉는 자세

④ 양손을 포개어 배(하단), 가슴(중단), 머리(상단) 앞이나 위에 자연스럽게 얹어놓고 호흡을 한다.

기체조를 할 때 바람직한 양성 반응

*정공임에도 전신 또는 국부적으로 땀이 배어 나온다.

*타액 분비가 증가한다.

*뱃속이 꾸르륵거리고 방귀가 나온다.

*식욕이 왕성해진다.

*피부에 윤기가 돌고 혈색이 좋아진다.

*잠이 쉽게 들 뿐 아니라 수면이 깊어진다.

*두뇌가 맑아지고 눈과 귀가 밝아지며 후각, 미각도 예민해진다.

*성욕이 왕성해지고 남자는 양거 현상이 자주 일어난다.

기체조를 할 때 바람직하지 않은 불량 반응

원인은 대부분 무리한 호흡 조절과 불충분한 긴장 완화에서 온다.

*온몸이 피곤하고 근육이 아프다.

*머리가 팽창하거나 눈이 충혈되거나 이에 따른 두통이 생긴다.

*가슴이 두근거리거나 맥박이 빨라진다.

*등, 허리가 아프거나 목이 뻣뻣해진다.

*헛배가 부르거나 복근이 팽팽해지면서 아프다.

*몸이 으스스 추워진다.

*월경 과다가 생긴다.

기도와 명상을 통한 기 수련

기도

힘(능력): 무릎을 꿇는다. 양손은 맞잡아 깍지를 낀 다음 중지만 맞붙여 수직으로 세운 후 숨을 내쉬면서 중지에 맥박을 느낀다.

"주님! 제게 새 힘을 주시옵소서."

확신: 무릎을 꿇는다. 양손을 깍지 낀 후 자연스럽게 배 앞이나 가슴 앞으로 놓는다. 양 손바닥은 꼭 맞대도록 한다.

"주님! 모든 것이 이루어질 줄로 믿나이다."

긍휼: 무릎을 꿇는다. 양팔은 어깨너비로 벌려 앞으로 쭉 편 후 상체를 구부려서 이마와 두 손바닥이 방바닥에 닿도록 한다.

"주님! 긍휼을 베풀어주시옵소서."

경청: 무릎을 꿇는다. 양손은 자연스럽게 펼친 채로 무릎 위에 올려놓는다.

"주님! 말씀하십시오. 제가 듣겠나이다."

헌신: 무릎을 꿇는다. 양팔을 엑스 자로 서로 엇갈리게 하여 어깨 위에 올려놓는다. 심장을 의식하면서 심장을 자기와 동일시하며 우주 만물이 자기를 내려다본다고 상상한다. 자기가 제물이 될 준비가 되었다고 생각한다.

"주님! 모든 것을 바치나이다."

다섯 손가락 명상

편안히 앉아 눈을 감은 채 열 손가락을 다른 쪽 손으로 하나씩 감싸고 숨을 10번씩 쉽니다.

*엄지: 신체의 위장과 비장에 해당한다. 걱정을 없애준다.

*검지: 신체의 폐와 대장에 해당한다. 슬픔을 없애준다.

*중지: 신체의 심장에 해당한다. 조급증을 없애준다.

*약지: 신체의 간에 해당한다. 분노와 적대감을 없애준다.

*소지: 신체의 신장에 해당한다. 공포를 없애준다.

오행 명상

토(土) 명상: 방바닥에 편안히 앉는다. 양쪽 손은 깍지를 낀 후 거꾸로 뒤집어서 손바닥이 위로 오게 한 후 배꼽 밑에 가져다 댄다. 이때 양쪽 엄지손가락 끝이 서로 맞닿도록 한다. 눈을 감은 채 천천히 숨을 100번 쉰다. 위장에 기(氣)가 모임을 느낀다.

금(金) 명상: 방바닥에 편안히 앉는다. 양쪽 엄지와 검지를 맞대어 동그라미를 만든다. 양쪽 손바닥을 쭉 편 후 중지를 서로 맞댄다. 맞댄 양손을 손바닥이 위쪽으로 오도록 하여 배꼽 밑에 가져다 댄다. 눈을 감은 채 천천히 숨을 100번 쉰다. 폐와 대장에 기(氣)가 모임을 느낀다.

화(火) 명상: 방바닥에 편안히 앉는다. 두 손바닥을 붙여 합장한 후 기도하는 자세로 가슴 앞에 모은다. 왼쪽 손바닥은 하늘이라고 상상하고 오른쪽 손바닥은 자아라고 상상한다. 눈을 감은 채 천천히 숨을 100번 쉰다. 심장에 기(氣)가 모임을 느낀다.

수(水) 명상: 방바닥에 편안히 앉는다. 양쪽 엄지와 검지를 맞대어 동그라미를 만든다. 나머지 세 손가락을 붙인 상태에서 쭉 편다. 두 손을 각각 양쪽 무릎에 내려놓는다. 이때 손바닥은 위를 향하고 손등이 무릎에 닿도록 한다. 눈을 감은 채 천천히 숨을 100번 쉰다. 신장에 기(氣)가 모임을 느낀다.

목(木) 명상: 방바닥에 편히 앉는다. 두 손을 편 후 왼쪽 손바닥 위에 오른쪽 손바닥을 자연스럽게 올려놓는다. 왼쪽 손바닥으로 오른쪽 손바닥을 감싼 채 두 엄지손가락은 평평하게 서로 맞대어 붙인다. 붙인 손을 그대로 손바닥이 위를 보도록 하여 양다리 가운데에 툭 내려놓는다. 왼쪽 손바닥은 하늘이라고 상상하고 오른쪽 손바닥은 자아라고 상상한다. 눈을 감은 채 천천히 숨을 100번 쉰다. 간과 쓸개에 기(氣)가 모임을 느낀다.

선도(단학)의 신비

선도(仙道)는 신선(神仙)이 되는 비법으로 우리나라에서는 국선도, 단학으로 알려져 있다. 선도의 목적은 나이가 들어 다시 어릴 적 몸으로 되돌아가는 것이다. 사람이 태어나기 전 모태에 있을 때는 기(氣)의 통로인 기경팔맥과 십이경맥이 모두 통해 있고, 선천기가 온몸을 빙빙 돌고 있다. 그런데 태어난 후 후천기가 십이경맥을 중심으로 도니 기경팔맥은 사용되지 않고 여기저기 막히기 시작하는 것이다. 사춘기가 되면 기경팔맥이 거의 막혀 기가 통하지 않게 된다. 그러므로 선도를 시작하기에 좋은 나이는 막힌 지 얼마 안 되는 14~15세 무렵이다. 단단히 막히지 않아 쉽게 양기가 통해서 그렇다.

선도 수련법은 크게 지단법, 기체조, 천단법으로 나뉜다. 지단법은 음식 조절을 통한 수련이고, 기체조는 호흡 훈련과 체조 동작을 통한 수련이며, 천단법은 호흡 조절과 의식 훈련을 통한 수련이다. 선도에서 가장 기본이 되는 것은 호흡 조절이다. 조식(調息) 호흡은 들숨과 날숨을 조절하는 것으로, 무식(武息) 호흡은 의식을 집중시키는 강한 호흡이다. 들숨과 날숨을 조절하는 것에 숨을 멈추는 동작이 하나 더 있는데, 문식(文息) 호흡은 의식을 집중시키지 않는 평온한 호흡이다. 호흡을 요리에 비유할 때 센 불을 사용하는 것이 무식 호흡이고, 약한 불을 사용하는 것이 문식 호흡이다.

소주천(小周天)은 가장 잘 알려진 선도 수련법이다. 대표적인 천단법으로 양기를 기경팔맥을 통해 몸을 한 바퀴 돌게 하는 선도의 독특한 수련법으로, 소주천은 진양화와 퇴음부로 나뉜다. 진양화(進陽火)는 기를 끌어올리는 것이고, 퇴음부(退陰符)는 기를 끌어 내리는 것이다. 그렇다면 이제 기 수련을 통해 우리의 몸과 마음의 소리를 듣고 평화를 되찾아보자.

조식 호흡은 들숨과 날숨을 조절하는 것이다.

먼저 아랫배를 오므리면서 몸 안에 괴어 있던 탁기(濁氣)를 입으로 2~3번 토해낸다.

그다음 들숨은 입을 다물고 코로 천천히 숨을 들이쉰다. 이때 아랫배를 볼록하게 하고 항문을 꼭 닫는다. 다 들이쉬거든 곧 날숨으로 옮긴다. 날숨은 입으로 천천히 숨을 내쉰다. 이때 아랫배를 오므리고 항문은 늦춘다. 이러한 요령으로 들숨, 날숨이 도중에 숨이 끊어지는 일이 없도록 아주 천천히 되풀이해나간다.

조식은 처음에 들숨, 날숨을 5까지 수를 세면서 행하고 10으로 올리고, 마지막으로 들숨 10, 날숨 15까지 수를 세면서 무리 없이 할 수 있게 되면 다음 단계의 무식 호흡으로 들어간다.

무식 호흡은 들숨과 날숨을 조절하는 것이 조식과 같고 숨을 멈추는 동작이 하나 더 있다.

먼저 아랫배를 오므리면서 몸 안에 괴어 있던 탁기를 입으로 2~3번 토해낸다.

들숨은 입을 다물고 코로 5까지 수를 세면서 숨을 들이쉰다. 이때 아랫배를 볼록하게 하고 항문을 꼭 닫는다. 여기까지 조식 호흡과 똑같다. 다른 점은 들숨을 의식적으로 아랫배(하단전)로 내려보내는 것처럼 하는 것이다.

숨을 멈추고 아랫배와 항문의 긴장 상태를 유지하고 감은 눈으로 단전을 노려보는 것이다. 즉 단전에 의식을 집중하는 것이다. 이것을 내시(內視)법이라고 한다. 이때 5까지 수를 센다.

날숨으로 옮긴다. 5까지 세면서 아랫배를 오므리고 항문을 늦추면서 코로 천천히 숨을 내쉰다. 무식 호흡을 할 때 처음에는 들숨 5, 멈춤 5, 날숨 5의 비율로 수를 세면서 한다. 익숙해지면 들숨 10, 멈춤 10, 날숨 10의 비율로 하고 이어 들숨 15, 멈춤 30, 날숨 20의 비율로 조절한다.

무식 호흡에 의해 양기가 모이면 아랫배가 더워진다. 압력이 생기며 진동이 일어나고 부글부글 끓는 조짐이 나타난다. 음양이 조화롭게 합하고 모여서 엉기고 굳어진다. 이를 연정화기(煉精化氣)라 하는데 정을 연마하여 기를 만든다는 뜻이다.

이때 주의 사항이 있다. 단전에 모인 기가 넘쳐서 가슴으로 치밀거나 아래로 흘러내리기도 한다. 그것이 음경으로 들어가 발기를 재촉하여 사정하면 실패가 된다. 회음으로 향해 다리의 경락으로 흘러들어 가도 아무것도 아니다. 이것 모두 의식 훈련과 항문 닫는 법이 부족해서 온 결과이다. 항문을 죌 때는 음경에서 무엇을 빨아들이는 요령으로 해야 한다. 이렇게 하면 양기가 단전으로 되돌아오거나 꼬리뼈 부분의 미려까지 흘러간다. 이 시기가 수련에서 가장 힘들다. 성욕이 왕성해져서 양기가 발생할 때마다 사정해버리면 언제나 수행은 출발점이 된다.

옛날에 한 부자 청년이 있었다. 어려서부터 노름판과 도박판을 전전했지만, 나이가 들어 뜻한 바를 이루고자 도인을 찾았다.

"무엇을 배우기를 원하는가?"

"깨달음[道]의 경지에 들기를 원합니다."

도인은 청년에게 그동안 세상에서 어떻게 지냈는지를 물어본 후, 제자들 중 장기를 가장 잘 두는 사람을 불렀다. 청년에게 제자와 장기를 두어 이긴다면 '깨달음의 비법'을 가르쳐주고, 둘 중에 진 사람은 그 자리에서 칼로 목을 베겠다고 말했다. 노름과 도박으로 세월을 보낸 청년은 이길 자신이 있었다. 청년과 제자는 장기를 두기 시작했다. 장기 한 판에 둘의 목숨이 달려 있으니 서로 혼신을 쏟았다.

청년은 난생처음 온정신을 집중하여 한 수 한 수 신중하게 장기를 두었다. 그렇게 한나절이 지났다. 청년은 장기판을 내려다보며 안도의 숨을 내쉬었다. 장기판은 청년의 승리를 나타내고 있었다. 그제야 고개를 들고 제자의 얼굴을 보았다. 제자는 얼굴이 새하얗게 질린 채 식은땀을 흘리고 있었다. 죽음이란 공포가 제자를 엄습했다. 그 순간 청년은 제자가 불쌍하다는 생각이 들었다. 지면 죽는다는 것도 잊은 채 져주기 시작했다. 그렇게 또 한나절이 지났다. 청년은 이제 죽게 되었다. 그때 스승은 칼을 내던지면서 크게 외쳤다.

"이제 되었다."

인간이 지닌 가장 귀중한 요소인 삼보(三寶)에는 정, 기, 신이 있다. 정(精)은 물질적인 기초이고 기(氣)는 생명의 동력이며 신(神)은 본래의 성품이다. 정은 등잔의 기름, 기는 심지에서 타오르는 불, 신은 불에서 나오는 빛으로 비유할 수 있다. 정은 기를 낳고 기는 신을 낳는다.

도(道)는 부처, 예수, 성인, 진인, 지인의 지경이다. 무아, 무념무상, 정심, 무위자연, 주객일치의 상태이며 자기실현, 초월의식, 우주의식에 도달한 상태다. 말로 할 수 없기 때문에 도를 깨친 사람이 깨치지 못한 사람에게 아무리 깨친 소리를 해도 알아들을 수 없다. 청년은 장기에서 이겨 도통하는 비법을 전수받게 되었지만, 그 순간 상대에 대한 연민감이 솟아났다. 청년은 마음을 비우고 지기로 하였다. 스스로 죽음을 선택한 것이다. 그때 스승은 청년에게서 '사랑과 자비'를 발견하였다. 이후에 청년은 아마도 스승의 훌륭한 제자가 되었을 것이다.

정신질환 체험의 중심에는 무시무시한 구멍[虛]이 입을 벌리고 있다. 그 구멍은 치료 변화의 중심이며 핵심이다. 구멍은 정신병리에서 매우 중요하다. 강박신경증 환자는 질서와 통제의 상실을, 우울증 환자는 시간이 멎는 것을 의미한다. 성격장애자의 경우 견딜 수 없는 양가 감정을, 정신분열증 환자는 심한 공포와 혼란을 의미한다. 이들 구멍은 불안의 원천, 이름 없는 공포, 붕괴의 두려움, 미지의 세계를 나타낸다. 공허, 허무, 비존재, 죽음을 상징한다. 정신병은 허공에 대한 반응으로 나타난다. 선승이나 도사에게 이런 구멍은 친숙하고 생산적인 비옥한 허공이다. 만약 허공을 무서워하지 않는다면 그는 생산적인 사람일 것이며 도움을 구할 필요도 없을 것이다. 기 수련, 요가, 참선, 명상은 대체로 마음을 비우는 훈련인데 이는 허공과 친숙해지는 훈련이다.

기체조의 진정한 목적은 각종 도술, 무병장수, 불로장생, 회춘, 불사가 아니다. 하늘에서 받은 생명(生命)을 건강하게 유지하면서 본래의 성품(性品)을 닦는 데 있다. "네 이웃 사랑하기를 네 자신과 같이 사랑하라"는 예수의 말씀을 몸소 실천하는 삶, 그것이 바로 기체조를 통한 회복이다.

무의식의 재발견:
최면 치유

최면(Hypnosis)은 그리스어 '잠의 신(Hypnos)'에서 온 말이다. 최면은 잠든 상태와 비슷하다고 하지만 그렇다고 수면 상태는 아니다. 깊이 잠들어도 의식은 깨어 있는 상태다. 많은 사람은 최면에 대한 잘못된 인식으로 하지 않아도 될 걱정을 하기도 한다.

"혹시 나를 지배하는 것은 아닌가?"
"내 비밀이 노출되는 것은 아닌가?"
"의지를 박탈하는 것은 아닌가?"
"못 깨어나면 어떻게 하나?"

최면은 마술이 아니다. 최면 상태는 절대로 비정상적인 상태가 아니다. 최면 상태는 다음과 같이 정의할 수 있다. 고도의 주의 집중 상태, 의식의 협착 상태, 해리 상태, 변화된 의식 상태, 높은 피암

시성과 이완 상태, 유도된 심상 등이다.

최면은 주의가 고도로 집중된 상태다. 의식의 수돗물 10개 중에서 9개를 잠그고 하나만 열어놓은 상태다. 돋보기로 빛을 한 점에 모으는 것과 유사하다. 간혹 초능력을 발휘하는 것처럼 보이기도 한다. 하지만 최면은 초능력이 아니다. 우리는 생각보다 자주 자연 최면 상태에 빠진다. TV나 독서, 예배, 연예 등에 몰두하는 것처럼 무언가에 몰두할 때 우리는 주위 상황을 전혀 모를 때가 있다. 이것이 바로 자연 최면 상태다.

최면은 의식의 협착 상태다. 일종의 해리(분리) 상태라고도 볼 수 있는데, 해리 상태는 무의식과 의식이 단절된 상태를 말한다. 최면은 무한 잠재 능력을 발휘할 수 있는 무의식을 활용하는 것이다.

최면은 변화된 의식 상태(Altered State of Consciousness)이기도 하다. 트랜스, 명상 상태, 초월의식, 무아지경, 깨달음의 경지(해탈)처럼 '활짝 깬 의식 상태'인 것이다. 아울러 몸과 마음이 이완되어 암시에 쉽게 반응을 보이는 상태이며, 다른 사람이나 자신을 대상으로 환상을 유도하여 경험하도록 하는 상태이다.

최면의 실제와 상처의 치유

최면 유도는 크게 준비, 유도, 심화, 각성의 4단계로 진행된다. 준비 단계에서는 최면을 받으려는 마음을 가지게 한다. 최면에 대한 오해, 불안, 공포를 없애고 친밀감과 신뢰감을 형성한다. 유도 단계에서는 심신의 긴장을 풀도록 하는데, 여기서는 여러 기법 중에 적당한 것을 골라 최면 유도를 한다. 심화 단계에서는 깊은 최면 상태로 유도한다. 대표 심화 기법은 숫자 세기법, 확인법(부정 암시), 강제법, 손 이용법(머리나 이마에 손대기), 감상과 경험 듣기법 등이 있다. 각성 단계에서는 최면 상태에서 깨우는 것으로, 깨어난 후 최면의 체험에 대해 이야기를 나눈다.

최면 유도 기법에는 대표적으로 관념 운동법, 응시법, 이미지법이 있다. 관념 운동법은 초보자에게 가장 효과적인 최면 유도법이다. 관념을 통해 신체적 운동을 일으키는 것으로, '움직인다'는 상상을 하면 저절로 몸이 움직이는 것이다. 관념에 집중하다 보면 저절로 최면 상태로 들어가게 된다. 응시법은 가장 오래된 최면 유도법으로, 최면사들이 가장 많이 사용한다. 안구 응시법과 물체 고정 응시법이 있는데, 둘 다 시신경 피로를 유도하여 최면 상태로 유도하는 기법이다. 이미지법(심상 기법)은 상상과 심상을 통해서 분리 체험을 유도하는 기법으로, 관념 운동법이나 응시법이 잘 되지 않을 때 사용한다.

대표 최면 유도법인 관념 운동법과 응시법, 이미지법을 통해 우리의 상처를 들여다보자.

관념 운동법

의자에 편안히 앉아서 편안한 마음으로 집중해보자.

양손을 들고 서로 마주 보게 한다. 두 손 사이에 풍선이 있다고 생각해보자. 풍선이 점점 커진다. 손이 열린다. 손이 쑥 열린다. 풍선이 점점 작아진다. 손이 닫힌다. 쑥 닫힌다. 손이 쑥 닫힌다. 손이 붙는다. 손가락이 펴지고 쑥 붙는다. 손바닥이 붙는다. 단단히 붙는다. 실제로 해보니 느낌이 어떤가?

자, 양손을 앞으로 쭉 뻗어보자. 오른손은 손바닥이 위를 향하게 하고, 왼손은 손바닥이 밑을 향하게 한다. 오른손에는 커다란 풍선이 매달려 있다. 손이 올라간다. 쑥 올라간다. 왼손에는 백과사전 같은 책이 매달려 있다. 손이 내려간다. 쑥 내려간다. 손이 쑥 내려간다. 자, 실제로 해보니 느낌이 어떤가?

응시법

의자에 편안히 앉아서 편안한 마음으로 집중해보자.

자, 양손은 무릎 위에 편히 올려놓고 한 점을 계속 응시한다. 오른쪽 검지 끝을 응시하면 좋다. 이제 눈이 피로해지면서 저절로 감긴다. 눈꺼풀이 무겁다. 매우 무겁다. 눈꺼풀이 꽉 붙는다. 관자놀이가 무겁다. 매우 무겁다. 입술이 무겁다. 매우 무겁다. 마음이 점점 편안해진다. 오른팔이 무겁다. 매우 무겁다. 왼팔이 무겁다. 매우 무겁다. 양팔이 무겁다. 매우 무겁다. 마음이 편안하다. 팔의 감각이 다리로 내려간다. 오른쪽 다리가 무겁다. 매우 무겁다. 왼쪽 다리가 무겁다. 매우 무겁다. 양다리가 무겁다. 매우 무겁다. 사지가 무겁다. 매우 무겁다. 온몸이 무겁다. 매우 무겁다. 마음이 매우 편안하다. 심장이 고르고 규칙적으로 뛴다. 호흡이 편안하다.

자, 머리에 손을 대면 머리가 텅 빈다. 이마에 손을 대면 점점 깊은 최면으로 들어간다. 이제, 숫자를 10에서 1까지 센다.

10, 9, 8, 7, 6……. 호흡이 점점 깊어진다. 점점 깊은 최면으로 들

어간다.

5, 4, 3, 2, 1……. 아주 깊은 최면으로 들어간다.

자, 암호를 주겠다. 깨어난 후에 편한 자세에서 눈을 감고 '해피, 해피, 해피' 3번을 하게 되면 지금과 같은 깊은 최면으로 들어간다. 이제부터 나는 무엇이든지 해낼 수 있다. 자신감이 생긴다. 매사 긍정적이 된다. 매사 적극적이 된다.

"나는 할 수 있다. 나는 최고다. 나는 내가 좋다. 모든 것이 내 책임이다."

자, 다섯까지 세면 최면에서 깨어난다. 최면에서 깨어나면 기분이 아주 상쾌해진다.

하나, 의식 세계로 돌아온다.

둘, 정신이 깨어난다.

셋, 감각이 돌아온다.

넷, 운동이 자유로워진다.

다섯, 눈이 떠지면서 정신이 활짝 깨어난다.

이때 기지개, 팔 운동, 스트레칭 등으로 축 늘어지는 이완 상태에서 벗어나게 해주어야 한다.

이미지법

자, 마음을 비우고 호흡에 집중해보자.

숨을 크게 들이쉬고 천천히 내뱉는다. 한 번 더 해보겠다. 편안한 마음 상태에서 문을 열고 집을 나선다. 문밖에는 산으로 통해 있는 작은 오솔길이 나 있다. 오솔길을 따라 천천히 걸어가 보자.

하늘은 구름 한 점 없이 해맑다. 오늘따라 하늘이 높아만 보인다. 길가에는 코스모스와 국화가 만발해 있다. 바람에 흔들리는 모습이 나에게 반갑게 인사하는 것 같다. 멀리 수채화를 그려놓은 것 같은 산 풍경이 그저 아름답기만 하다. 붉은색, 누런색, 갈색의 낙엽들이 제각기 자신의 용모를 뽐내고 있다. 불어오는 가을바람으로 마음에 때가 훨훨 날아간다. 멀리 보이는 산등성이에 그림같이 평온한 작은 집이 보인다.

이제, 막 산길을 따라 올라간다. 발밑에 걸리는 작은 돌들이 나의 마음을 정겹게 한다. 계곡을 따라 흐르는 물소리가 나의 마음을 평화롭게 한다. 산에서 들리는 새소리는 나의 마음에 한없는 기쁨을 안겨준다. 바람에 밀려 날아오는 산 내음과 꽃향기가 나의 마음을 설레게 한다. 발걸음은 가볍고 몸은 고무풍선처럼 부풀어 오르고 마음은 새처럼 하늘 높이 날아간다. 드디어 산 중턱에 작은 집에 도착했다. 마치 동화에 나오는 듯한 아름다운 집이다. 이제 대문을 지나서 뜰을 걸어 들어간다. 문을 열고 현관으로 들어간다. 집 안은 막 청소가 끝난 듯 맑고 청결하다. 거실 한가운데 장미 한 송이가 놓여 있고 그 장미 향기로 집 안 전체가 꽉 차 있다. 천장에 샹들리에가 햇빛에 반사되어 반짝이고 있다. 식탁에는 막 씻은 과일 한 바구니가 놓여 있다. 이제 거실 한가운데 소파에 가서 앉는다. 가죽으로 만든 소파는 나에게 편안한 감촉을 선사한다. 어린아이가 엄마 품에 안긴 것 같은 느낌이 든다. 나른한 몸은 편안함을 넘어서 졸음으로 이어진다.

자, 눈을 감고 양손을 깍지 낀 다음 무릎에 살포시 올려놓는다.

마음으로의 여행을 떠나본다. 다시 호흡에 집중해보자. 숨을 크게 들이쉬고 천천히 내뱉는다. 의식을 나의 내부로 이동시킨다. 내 몸 구석구석을 차근차근 여행한다. 머리, 눈, 코, 귀, 입……. 얼굴의 긴장을 풀어보자. 눈의 힘을 풀고 코로 숨을 천천히 쉬고 입 주위의 힘을 풀어본다. 천천히 손과 팔의 근육을 이완시키고 발과 다리의 근육을 이완시킨다. 차츰 의식을 가슴으로 옮기고 가슴에서 아주 천천히 배를 거쳐서 배꼽 밑으로 옮겨보자.

자, 이제 나의 의식은 나의 정중앙에 도착한다. 단전에 모든 것이 집중된다. 단전에 작은 불빛이 들어서면서 고무풍선이 부풀어 오르는 것처럼 점점 커진다. 하늘에 떠 있는 태양만 한 크기가 된다. 나는 지구의 중심에 앉아 있다. 나는 우주의 중심에 앉아 있다. 이 세상에 부러울 것이 하나도 없다. 사랑과 평화, 기쁨, 자유가 넘쳐흐른다.

"나는 내가 좋다. 나는 내가 좋다. 나는 내가 좋다."

자, 깨어날 때가 된 것 같다. 천천히 호흡에 집중해보자. 숨을 크게 들이쉬고 천천히 내뱉는다. 한 번 더 해보겠다. 자, 눈을 뜨고 스트레칭을 해보자.

기적을 이루는 최면

뿌옇게 안개가 내려앉은 새벽, 제자들은 배를 타고 호수를 건너고 있었다. 호수 한복판에 도달했을 때 갑자기 허연 물체가 나타났다. 제자들은 깜짝 놀랐다. 예수께서 물 위를 걸어오고 있었던 것이다. 순간, 수제자 베드로는 아주 반가운 나머지 예수께 말했다.

"제가 지금 당신에게 가도 됩니까?"

"이리 오라!"

"나는 당신을 100% 신뢰합니다. 당신에게 100% 순종합니다. 나의 모든 것을 당신에게 맡깁니다."

베드로는 물 위를 걷게 되었다.

최면은 신뢰와 순종, 내어 맡김과 기다림, 기적으로 요약할 수 있다. 최면의 본질은 암시다. 자기 암시가 기본이다. 자기 암시에 성공하면 타인 암시도 가능하다. 따라서 반복적인 연습이 매우 중요하다. 최면 성공의 핵심 3가지인 '편안한 마음으로 집중하고 판단하지 않으며, 편히 받아들이는 것'만 명심한다면 누구나 최면의 세계를 경험할 수 있을 것이다. 최면은 굳은 땅을 일구어 씨앗을 심는 것이다. 잠재 의식에 씨앗을 뿌리는 것과 같다. 그 씨앗은 언젠가 30배, 60배, 100배의 결실을 맺게 될 것이다.

아프다 너무 아프다

1판 1쇄 인쇄 2017년 8월 16일
1판 1쇄 발행 2017년 8월 25일

지은이 이후경
펴낸이 최준석

펴낸 곳 한스컨텐츠㈜
주소 서울시 마포구 동교로 136, 401호
전화 070-5117-2318 팩스 02-2179-8103
출판신고번호 제313-2004-000096호 신고일자 2004년 4월 21일

ISBN 978-89-92008-70-9 03180

이 도서의 국립중앙도서관 출판예정도서목록(CIP)은 서지정보유통지원시스템 홈페이지(http://seoji.nl.go.kr)와 국가자료공동목록시스템(http://www.nl.go.kr/kolisnet)에서 이용하실 수 있습니다. (CIP제어번호 : CIP2017018543)

책값은 뒤표지에 있습니다.
잘못 만들어진 책은 구입하신 서점에서 교환해드립니다.